D0295084

JIJ MAG NIET MEEDOEN!

*Daisy Michiels, Sofie Kuppens &
Hans Grietens*

JIJ MAG NIET MEEDOEN!

Agressie tussen kinderen anders bekeken

LANNOO

www.lannoo.com

Registreer u op onze website en we sturen u regelmatig een nieuwsbrief met informatie over nieuwe boeken en met interessante, exclusieve aanbiedingen.

Omslagontwerp: Studio Jan de Boer

D/2010/45/233 – NUR 854
ISBN 978-90-209-9071-3

Inhoud

Woord vooraf

Agressie bij kinderen. We kennen het allemaal. We denken dan spontaan aan 'een grote jongen die kleinere kinderen slaat, duwt, schopt of uitscheldt.' We spreken hier van fysieke en verbale agressie. Je kunt deze agressieve gedragingen zien. Er is een dader, er zijn slachtoffers. Het wetenschappelijk onderzoek houdt zich al tientallen jaren bezig met de studie van agressief gedrag bij kinderen en wil in kaart brengen waarom kinderen zich zo gedragen en hoe we agressie kunnen behandelen en tegengaan.

Sinds kort wordt over een nieuwe vorm van agressie onderzoek gedaan: relationele agressie. Nieuw omdat het om uitingen van agressie gaat die wellicht altijd al bestaan hebben, maar pas sinds enkele jaren als zodanig worden benoemd. Bij relationele agressie gaat het om agressief gedrag dat anderen schade berokkent door hun relaties of hun gevoel van aanvaarding, vriendschap of erbij te horen (dreigen) te beschadigen. Een subtielere vorm van agressie dus. Om meer inzicht te krijgen in deze vorm van agressie werd er door het Centrum voor Gezins- en Orthopedagogiek van de Katholieke Universiteit Leuven een groot onderzoek uitgevoerd waarin de ontwikkeling van relationele agressie bij acht- tot twaalfjarige kinderen in de basisschool gedurende drie jaar werd gevolgd. Bij kinderen van deze leeftijd komt relationele agressie immers frequent voor. Het onderzoek leverde een schat aan informatie op over hoe relationele agressie zich op deze leeftijden uit en over de factoren in de omgeving van kinderen die relationele agressie uitlokken of in stand houden.

Dit boek wil de inzichten uit dit wetenschappelijk onderzoek op een toegankelijke manier presenteren en de relationele agressieproblematiek in beeld brengen. In het boek worden vragen beantwoord zoals:

- Wat is relationele agressie?
- Stellen zowel jongens als meisjes deze vorm van agressie?

- Zijn er leeftijdsverschillen?
- Hoe ontstaat relationele agressie?
- Hoe pakken we relationele agressie het beste aan?

Ouders en leerkrachten worden weleens geconfronteerd met relationeel agressief gedrag bij kinderen. Dit boek is dan ook in de eerste plaats voor hen bedoeld. Vele, zo niet alle ouders hebben weleens vragen bij het gedrag dat hun kind stelt in relaties met broertjes, zusjes of leeftijdgenoten. Een receptenboek waarin al deze vragen beantwoord worden, bestaat evenwel niet. Ook leerkrachten worden tijdes hun opleiding onvoldoende voorbereid; ze krijgen te weinig informatie over (relationele) agressie en hoe hiermee om te gaan. Daarenboven kunnen de nieuwe media (mobiele telefoon, e-mail, socialenetwerksites als Facebook, Netlog en Twitter) een rol spelen bij relationele agressie. Ze vergemakkelijken het manipuleren van relaties. Het is heel moeilijk om hier als ouders of leerkracht controle op uit te oefenen, terwijl deze nieuwe media echt een deel van de leefwereld van kinderen zijn. Dit boek wil ouders, leerkrachten en directies helpen om relationeel agressief gedrag beter te leren herkennen, de negatieve gevolgen ervan juister in te schatten, de slachtoffers te kunnen begrijpen en sneller stappen in de richting van hulpverlening te ondernemen. De bedoeling van dit boek ligt niet in het omscholen van ouders en leerkrachten tot hulpverleners, maar het boek wil ouders en leerkrachten informeren over relationele agressie ter ondersteuning bij hun taak als opvoeder. Ook studenten en afgestudeerde psychologen, pedagogen, maatschappelijk werkers en opvoeders kunnen in dit boek de recentste stand van zaken in het onderzoek en de aanpak van relationele agressie terugvinden.

Dit boek zou er niet gekomen zijn zonder de medewerking en inzet van de ouders, kinderen, klasgenootjes, leerkrachten, en directies die drie jaar lang vele vragenlijsten invulden. We willen hen hiervoor uitdrukkelijk bedanken.

In dit boek zal de lezer ontdekken welke vragen nog onbeantwoord blijven en welke twijfels er bestaan over de aanpak en preventie van relationele agressie, maar tevens worden duidelijke adviezen gegeven om er zorg voor te dragen dat ouders, leerkrachten en kinderen de beste hulp krijgen die nu mogelijk is. We hopen met dit boek relationele agressie onder de aandacht te brengen van opvoeders, hulpverleners en allen die bekommerd zijn om het welbevinden van kinderen in onze maatschappij.

Daisy Michiels

1 •• De vele gezichten van agressie

10.30 uur, de bel gaat. De kinderen lopen de klas uit en gaan naar de speelplaats. Een groepje kinderen wil voetballen, maar er ontstaat onenigheid over de indeling van de teams. Vooral Joris en Bert lijken het maar niet eens te worden. Plotseling geeft Joris Bert een flinke duw. Bert snauwt op zijn beurt: 'Jij vuile aap! Wil je vechten? Kom maar op!' Pieter, de beste vriend van Joris, zegt tegen de andere kinderen van de klas: 'Ik vind Bert niet meer leuk, hij mag voortaan niet meer meedoen. Hij houdt zich nooit aan de regels, hij speelt vals. En bovendien stinkt hij.'

In dit voorbeeld is duidelijk sprake van agressie. Joris geeft iemand een duw en is daarmee fysiek agressief; Bert scheldt iemand uit en is daarmee verbaal agressief. Maar ook Pieter laat agressief gedrag zien doordat hij zijn klasgenoten opstookt om iemand buiten te sluiten en doordat hij roddels verspreidt.

Deze laatste vorm van agressie is relatief onbekend; de term 'agressie' roept bij de meeste mensen immers meteen beelden op van slaan, schoppen en schelden. Toch vormen deze fysieke en/of verbale handelingen maar één kant van agressie. Er bestaat namelijk ook subtieler en minder openlijk agressief gedrag: relationele agressie. Dit is de agressie die Pieter laat zien. Andere voorbeelden van relationele agressie zijn:

Omdat Thomas boos is op Rob, negeert hij Rob volledig.

Maaike verspreidt gemene roddels over Annelies, want ze wil dat klasgenootjes Annelies niet meer leuk vinden.

Kristien is slecht in wiskunde, maar haar beste vriendin, Griet, is er erg goed in. Kristien manipuleert Griet door te zeggen dat ze haar niet zal uitnodigen voor haar verjaardagsfeestje als Griet haar niet helpt met haar wiskundehuiswerk.

Meer dan schoppen en schelden

Wanneer bestempelen we een kind als agressief? Vraag maar eens aan een paar mensen in je omgeving of ze een voorbeeld kunnen geven van wat zij verstaan onder agressief gedrag bij kinderen. Een typisch antwoord zal zijn: 'Een grote jongen die andere kinderen slaat, duwt, schopt of knijpt.' Mensen denken vaak in de eerste plaats aan fysiek geweld.

Andere kinderen gebruiken echter liever woorden dan hun vuisten en zullen verbaal uiting geven aan hun agressie. Het kind hoeft dan niet te slaan want hij kan het met taal af. Ook deze verbale vorm van agressie is algemeen bekend. Vloeken, schelden en discriminerende opmerkingen maken vallen allemaal onder de noemer 'verbale agressie'.

Onderzoek naar agressie heeft zich lange tijd alleen toegespitst op deze openlijke vormen van agressie. Ook de media hangen een nogal eenzijdig beeld op. Incidenten die het nieuws halen, betreffen meestal fysieke agressie: kinderen die betrokken raken in zware knokpartijen (die vaak een gevolg zijn van een uit de hand gelopen woordenwisseling of scheldpartij), pubers die een jonger kind mishandelen, kinderen die lastiggevallen worden op weg naar school, enzovoort.

Verder valt op dat meestal over gewelddadig gedrag bij jongens wordt gesproken. Agressief gedrag bij meisjes lijkt niet te bestaan of lijkt in elk geval heel zeldzaam. Meisjes raken toch bijna nooit verzeild in een vechtpartij? Maar inmiddels groeit langzaam het besef dat agressie veel meer is dan iemand fysiek of verbaal aanvallen, en dat je ook slachtoffer kunt zijn van agressie zonder dat je een blauw oog of een gebroken arm oploopt. Naast verbale en fysieke agressie zijn er immers nog andere, subtielere vormen van agressief gedrag.

Wat houdt relationele agressie precies in?

De termen 'agressie' en 'agressief gedrag' zijn veelomvattend en vragen om een duidelijke omschrijving. Door de jaren heen zijn er uiteenlopende definities gebruikt om agressie te omschrijven, die echter vaak verschillende uitgangspunten hebben, waardoor ze steeds een andere invalshoek kennen:

'Agressie is gedrag dat de intentie heeft anderen pijn te doen of te schaden.' (Crick & Grotpeter, 1995)

'Agressief gedrag is gedrag met de intentie fysieke of psychologische pijn toe te brengen aan anderen.' (Aronson, 2008)

'Om het gedrag van een persoon te bestempelen als agressief gedrag, moet het gedrag de bedoeling hebben om negatieve gevolgen toe te dienen aan het slachtoffer, waarbij de gevolgen op hun beurt de verwachting veronderstellen dat de actie een bepaald resultaat zal teweegbrengen.' (Krahé, 2001)

We kunnen nog talloze andere definities geven, die telkens andere elementen benadrukken. Over één belangrijk punt bestaat er echter wel een algemene consensus: agressief gedrag heeft altijd te maken met anderen schade berokkenen, zoals ook in bovenstaande definities te zien is.

Agressie heeft dus een negatieve invloed op mensen en op de maatschappij. Dat is vermoedelijk de reden waarom wetenschappers er altijd veel aandacht aan hebben besteed. Wetenschappelijk en populair onderzoek richtte zich echter bijna uitsluitend op fysieke en verbale vormen van agressie. Dat is niet zo verwonderlijk, want dit zijn de zichtbaarste en observeerbaarste vormen van agressie. Vechten en schelden springen immers onmiddellijk in het oog. We merkten bovendien al op dat agressie lange tijd als 'mannelijk' werd gezien, wat ook van invloed was in wetenschappelijke kringen. De (overwegend mannelijke) onderzoekers bekeken agressie immers vooral vanuit een 'mannelijk' perspectief en focusten op de 'mannelijke' uitingen ervan.

In de tweede helft van de twintigste eeuw begonnen onderzoekers echter te merken dat meisjes op een heel andere manier agressief gedrag laten zien: zij proberen de relaties tussen leeftijdgenoten te manipuleren en onderuit te halen, om zo controle over anderen te krijgen. Amerikaanse (en toevallig of niet: vrouwelijke) onderzoekers noemden dit fenomeen 'relationele agressie'.

Uitgaande van de algemene definitie van agressie definieerden Nicki Crick en haar collega's relationele agressie als 'gedragingen die anderen kwetsen door schade toe te brengen (of ermee dreigen schade toe te brengen) aan relaties, vriendschappen of het sociale leven.' Manieren om dit doel te bereiken zijn onder andere roddels verspreiden, tegen iemand zwijgen om hem te straffen of dreigen om de vriendschap te beëindigen als de ander niet doet wat hem wordt opgedragen. Relationele agressie kan dus omschreven worden als het doelbewust kwetsen van anderen door hun relaties met leeftijdgenoten te manipuleren en te controleren.

Verwante termen: indirecte en sociale agressie

Kinderen kunnen heel subtiel te werk gaan. In de literatuur worden verschillende termen gebruikt om dit subtiele agressieve gedrag aan te duiden: indirecte agressie, sociale agressie en relationele agressie. We verklaren de termen hier:

- *Indirecte agressie* is een vorm van sociale manipulatie waarbij de agressor de sociale structuur en anderen gebruikt om het slachtoffer schade te berokkenen, zonder zelf rechtstreeks betrokken te zijn. Anders gezegd: het agressieve kind gebruikt de groep om het slachtoffer pijn te doen en vermijdt hierbij een directe confrontatie met het slachtoffer. Indirecte agressie kan zowel verbaal (bijvoorbeeld via het verspreiden van roddels) als fysiek (bijvoorbeeld door andermans eigendom in brand te steken) zijn.

- Onder *sociale agressie* vallen gedragingen die gericht zijn op het beschadigen van iemands zelfbeeld, sociale status of beide. Deze gedragingen kunnen direct (bijvoorbeeld door iemand verbaal af te wijzen of door negatieve gezichtsuitdrukkingen of lichaamsbewegingen) of indirect (bijvoorbeeld door anderen uit te sluiten of roddels te verspreiden) worden geuit.
- *Relationele agressie* ten slotte omvat gedragingen die anderen schade berokkenen door hun relaties of hun gevoel van aanvaarding, vriendschap of erbij horen (dreigen) te beschadigen. Ook hier kan dit gedrag direct of indirect worden geuit.

Er heerst veel onenigheid onder onderzoekers over de bruikbaarste en correctste term voor deze subtiele agressieve gedragingen. De termen overlappen elkaar en hebben hun 'sociale' en manipulerende karakter gemeen. Het is dus in veel gevallen moeilijk vast te stellen of je nu met indirecte, sociale of relationele agressie te maken hebt. En misschien is dat ook niet zo belangrijk. In feite bestaan er heel wat grijze zones en eenzelfde vorm van gedrag is vaak te bestempelen als zowel relationeel en sociaal als indirect agressief gedrag.

In dit boek kiezen we er bewust voor om dit subtiele agressieve gedrag te benoemen als 'relationele agressie'. In de eerste plaats omdat het een duidelijke term is: de agressor heeft als doel iemands relaties te beschadigen, en dus is het middel om schade te berokkenen van relationele aard; 'sociale agressie' zou een te brede term zijn. Daarnaast omvat relationele agressie directe (bijvoorbeeld het openlijk manipuleren van vriendschapsrelaties) én indirecte gedragingen (bijvoorbeeld roddels verspreiden zodat anderen de persoon niet meer leuk vinden); 'indirecte agressie' bevat dit volledige spectrum van gedragingen niet.

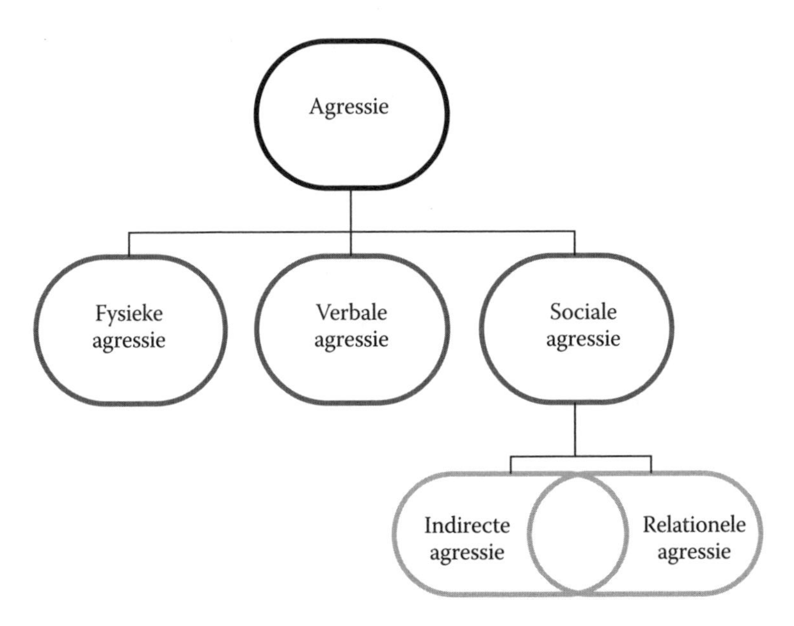

Figuur 1: *De verschillende vormen van agressie, vereenvoudigd voorgesteld.*

Veel belangrijker dan de vraag hoe we het subtiele agressieve gedrag benoemen, is dat we beseffen dat de negatieve gevolgen ervan helaas steeds dezelfde zijn. De slachtoffers ondervinden er op psychosociaal gebied veel problemen van. We gaan hier in hoofdstuk 4 verder op in.

Subtypes van relationele agressie

Relationele agressie kan zich op verschillende manieren manifesteren. We geven hier enkele voorbeelden.

Openlijke en verdoken relationele agressie

De meisjes van het vierde leerjaar/groep zes spelen tikkertje. Wanneer Hanne bij het groepje komt, negeren ze haar volkomen en ze laten haar niet meespelen.

Als Simon die ochtend op de speelplaats komt, hoort hij een paar kinderen over hem praten. Ze hebben gehoord dat Simon de vorige dag in zijn broek heeft geplast. Dit is echter niet waar en Simon weet niet wie die roddel heeft verspreid.

Hanne is het slachtoffer van openlijke relationele agressie (ook wel 'overte relationele agressie' genoemd); hierbij wordt iemand uit de groep gestoten. Bij Simon is daarentegen sprake van verdoken relationele agressie (of 'coverte relationele agressie'); hierbij probeert de dader onherkenbaar te blijven. Een voorbeeld is roddelen achter iemands rug, om diegene in een negatief daglicht te plaatsen.

Reactieve en proactieve relationele agressie

Steven krijgt op de speelplaats per ongeluk een voetbal in zijn gezicht. Jonas verontschuldigt zich, maar Steven aanvaardt zijn excuses niet. Hij begint de andere kinderen op te jutten om Jonas niet meer te laten meespelen.

We spreken van 'reactieve relationele agressie' als het gedrag een reactie is op iets anders. Het kind voelt zich bedreigd, angstig of onbegrepen, en reageert (vandaar de term 'reactief') op een agressieve manier. Iemand die bijvoorbeeld roddels verspreidt omdat hij zich benadeeld voelt of wraak wil nemen, is betrokken in reactieve relationele agressie en uit dat in een boze of defensieve reactie op een provocatie. De agressie is gericht tegen degene die de reactie uitlokt. Reactieve relationele agressie moet gezien worden als een impulsieve, vijandige en defensieve houding gekoppeld aan een gebrek aan zelfcontrole. Het is eigenlijk een spontane reactie, als het ware de druppel die de emmer doet overlopen. De frustratie kan al een tijdje sluimeren, maar plotseling wordt het de dader te veel en barst die uit.

Saar heeft geen zin om haar huiswerk te maken. Maar geen nood: haar vriendin Anna, de beste van de klas, zal de sommen wel hebben gemaakt. Als Anna laat merken dat ze haar huiswerk liever niet wil laten overschrijven, dreigt Saar: 'Als ik het niet mag overschrijven, ben ik je vriendin niet meer.'

In dit voorbeeld is geen sprake van een impulsieve reactie op een provocatie. Het is een goed voorbeeld van 'proactieve relationele agressie', agressie die gebruikt wordt om een bepaald vooropgezet doel te bereiken. De agressor wil met zijn daad de ander heel bewust beïnvloeden. In zulke situaties wordt er dus met voorbedachten rade gedreigd en gemanipuleerd. Een kind kan bijvoorbeeld een vriendschap gebruiken als een omkoop- of controlemiddel door te zeggen: 'Als jij je koek niet elke dag met mij deelt, dan speel ik nooit meer met je.' Het agressieve gedrag is gepland en dient om een bepaald doel te bereiken.

Proactieve relationele agressie moet gezien worden als een berekende en offensieve vorm van agressie die minder emotioneel is dan de reactieve subvorm. De dader verwacht dat zijn agressieve gedrag positieve gevolgen zal hebben. Het kan zelfs zo ver gaan dat de dader zich er niet meer van bewust is dat hij anderen manipuleert, omdat de proactieve relationele agressie al zo'n gewoonte is dat het een deel van diens persoonlijkheid is geworden.

Er ligt dus geen andere uitingsvorm aan de basis van het onderscheid tussen reactieve en proactieve relationele agressie, maar wel een andere functie en oorsprong.

Directe en indirecte relationele agressie

Noor krijgt geen uitnodiging voor de verjaardag van Emmy, terwijl alle andere meisjes uit haar klas wel zijn uitgenodigd. Als Noor een week later haar mailbox opent, ziet ze dat iemand haar anoniem een haatmail heeft gestuurd. Deze e-mail blijkt ook naar Noors klasgenoten gestuurd te zijn.

In de eerste situatie is er sprake van directe relationele agressie. We verstaan hieronder: agressief gedrag dat rechtstreeks tegen iemand is gericht; Emmy sluit Noor duidelijk uit. Indirecte relationele agressie daarentegen gebeurt achter iemands rug. Dit is van toepassing op de tweede situatie: Noor weet niet wie de afzender is van de haatmail. Vaak worden de termen indirecte en verdoken agressie gebruikt als synoniemen van elkaar, net zoals openlijke en directe agressie termen zijn die door elkaar worden gebruikt.

Hoe herken je relationele agressie?

Relationele agressie is niet altijd makkelijk te herkennen. Vaak probeert de dader namelijk niet herkend te worden of gebeurt de agressie stiekem. Toch zijn er wel enkele algemene signalen waar je als ouder alert op kunt zijn en die erop kunnen wijzen dat je kind te maken heeft met relationele agressie.

Mijn kind is slachtoffer

Een eerste belangrijke stap is om de tekenen te onderkennen die op relationele agressie zouden kunnen wijzen. Als we terugdenken aan de omschrijving van relationele agressie, dan zien we dat daarbij de nadruk ligt op het opzettelijk manipuleren van iemands relaties om hen op die manier te kwetsen. De meest voorkomende manier om dit doel te bereiken is door iemand uit te sluiten – hetzij door te weigeren met deze persoon te praten, hetzij door deze persoon buiten een vriendenclubje te houden. Kinderen kunnen ook roddels en gemene geruchten verspreiden, zowel persoonlijk als online.

Nu we de definitie weer hebben opgefrist, is het hopelijk duidelijk dat iedereen weleens relationeel agressief gedrag vertoont. Wie heeft er nog nooit geroddeld? Wie heeft nog nooit iemand bewust gemeden omdat we hem niet leuk vonden? Daarom is het belangrijk te beseffen dat ieder kind weleens dader én slachtoffer zal zijn van relationele agressie. Wees je er ook van bewust dat kinderen dit niet altijd spontaan zullen opbiechten. Maar hoe weet je dan of en wanneer je kunt/moet ingrijpen?

Hier volgen enkele voorbeelden van signalen die kúnnen wijzen op relationele agressie. Onthoud dat er nog andere signalen kunnen zijn, maar de volgende komen het meest voor:

Houd de schoolresultaten en het gedrag van je kind in de gaten

Als een kind lijdt, zal dit ongetwijfeld een negatieve weerslag hebben op zijn schoolresultaten. Kinderen die het slachtoffer zijn van relationele agressie, kunnen zich moeilijker concentreren. Vaak gaan ze ook niet graag naar school omdat ze bang zijn om gepest te worden.

Houd je kind ook thuis in de gaten. Vertoont hij stresssignalen? Ga na hoe je kind zijn vrije tijd doorbrengt. Is dat vaak alleen of met vrienden? Als er ineens iets verandert in het gedrag van je kind, kan dit erop wijzen dat hij het slachtoffer is van relationele agressie. Ook veranderingen in het eet- of slaappatroon van je kind kunnen wijzen op problemen.

Let op herhaling en terugkerende patronen

Zoals eerder gezegd zal ieder kind weleens uitgesloten worden van een bepaalde activiteit op school of van een bepaald vriendenclubje. Maar als je dit vaker hoort, neem je kind dan serieus. Luister en kijk. Is er een patroon dat zich herhaalt? Voor pestgedrag geldt dat je kind herhaaldelijk het slachtoffer is van agressieve gedragingen die ook de bedoeling hebben om het kind te kwetsen. Vraag je kind ernaar om meer te weten te komen.

Wisselende vriendschappen

Wees alert als je merkt dat de vriendschappen van je kind erg wisselend zijn. Vooral wanneer je kind de ene week vertelt dat hij bevriend is met iemand, de week erna zegt dat hij dit kind 'haat', en een paar dagen later vertelt dat alles weer oké is.

Wisselend humeur

Wees ook alert op een sterk wisselend humeur. Wanneer je kind 's morgens blij naar school gaat en bedrukt thuiskomt, kan dit een teken zijn. Wanneer je kind activiteiten die hij vroeger graag deed plotseling niet meer zo leuk vindt, zoals de zwemles of de tekenles, kun je beter even een gesprekje met je kind aanknopen om te achterhalen wat de reden hiervoor is.

Geen vriendjes meer

Je kind spreekt niet over zijn klasgenootjes, niemand belt en niemand komt langs. Zeker als je kind vroeger wel vriendjes had maar je hem er de laatste tijd niet meer over hoort, is er mogelijk sprake van relationele agressie.

Al deze gedragingen kunnen erop wijzen dat er iets aan de hand is met de vriendschappen van je kind. Het is belangrijk om je kind serieus te nemen. Gedurende de hele kindertijd zijn vriendschappen waardevol. Ze leren ons om met anderen om te gaan en ze helpen ons om onze identiteit op te bouwen. Relationele agressie beschadigt deze belangrijke vriendschappen.

Wanneer je kind zich niet goed voelt bij zijn vriendjes, zal hij dit niet per se spontaan tegen je zeggen. Misschien voelt hij zich mislukt, of wil hij niet dat jij je ermee bemoeit omdat hij denkt dat dit de situatie alleen maar erger zal maken. De genoemde signalen kunnen dan voor jou als ouder een teken zijn om zelf het heft in eigen handen te nemen en een gesprek met je kind aan te gaan om te achterhalen wat er precies aan de hand is. Als je merkt dat je kind het slachtoffer is van relationele agressie en jullie komen er zelf niet uit, zoek dan ondersteuning. Neem contact op met de school, het CLB of de schoolbegeleidingsdienst, of schakel een therapeut in die je kind kan ondersteunen. Onderschat het probleem niet, want de gevolgen van relationele agressie kunnen op allerlei terreinen en gedurende je hele leven blijven doorwerken (zie hoofdstuk 4 voor de gevolgen van relationele agressie).

Mijn kind is dader

Wees je er ook van bewust dat je kind niet alleen maar het slachtoffer kan zijn van relationele agressie, maar ook een dader!

Rond de leeftijd van twaalf jaar groeit bij de meeste kinderen het verlangen om populair te zijn en aanvaard te worden door hun leeftijdgenoten. Het is raar maar waar: deze verlangens kunnen ertoe leiden dat een kind relationele agressie zal vertonen. Kinderen willen hun vriendschappen beschermen, willen hun macht of status behouden en reageren daardoor relationeel agressief op elke mogelijke bedreiging (of elk gedrag dat zij als een bedreiging zien maar niet per se zo bedoeld is).

Wat zijn nu algemene kenmerken van een dader van relationele agressie? Net zoals bij de voorbeelden die we gaven bij mogelijke signalen bij slachtoffers van relationele agressie, noemen we hier enkele vaak voorkomende signalen, zonder echter volledigheid te pretenderen:

Cool en stoer willen doen

Daders van relationele agressie proberen soms hun onzekerheid te verbergen door stoer te doen tegenover anderen en kiezen een gemakkelijk slachtoffer. Meestal is dit iemand die verlegen is, moeilijk contacten legt of andere hobby's heeft dan de meeste andere kinderen. Soms is de dader iemand die vroeger zelf slachtoffer was. Kinderen die het slachtoffer zijn van relationele agressie, zien soms als enige uitweg om zelf mee te doen met de relationeel agressieve kinderen. Op deze manier zijn ze in elk geval niet zelf het slachtoffer. Als je kind plotseling op een gemene manier over andere kinderen begint te praten, of erg bezig is met de vriendschappen van de kinderen in zijn omgeving, kan dit een teken zijn dat je kind omslaat van slachtoffer naar dader. Door het gedrag versterkt de dader zijn plaats in de klas of het vriendenclubje. Na een tijdje wordt het een gewoonte om het slachtoffer relationeel te pesten zodra de gelegenheid zich voordoet.

Emotionele problemen
Relationele agressie vertonen om stoer te doen komt voor, maar vaak is dat niet de enige reden waarom de dader een slachtoffer uitzoekt. Meestal hebben de daders zelf problemen en zoeken ze een manier om zich af te reageren. Uit onderzoek is namelijk gebleken dat kinderen die zelf gelukkig zijn en zich goed in hun vel voelen, niet de behoefte hebben om agressief te reageren of te pesten. Wel kunnen ze bijvoorbeeld boos of verdrietig zijn omdat hun ouders zijn gescheiden of omdat ze thuis te weinig aandacht krijgen. Soms zijn ze jaloers op het slachtoffer en vinden ze het fijn om te zien dat hij zich ook ongelukkig voelt. Wanneer iemand relationele agressie vertoont, kan dit een gevolg zijn van emotionele of psychologische problemen.

Uit verveling
Relationele agressie kan ook het gevolg zijn van verveling. Kinderen die niet weten wat ze in de pauze moeten doen, zoeken vaak uit verveling een slachtoffer om de tijd te doden; dan kunnen ze gemene roddels over iemand gaan verspreiden.

Intieme vriendschappen met slechts enkelen
Uit Amerikaans onderzoek kwam naar voren dat relationele agressie vaak ontstond vanuit hechte vriendschappen tussen kinderen die om de een of andere reden verbroken werden. De daders zijn daardoor meestal erg goed op de hoogte van het reilen en zeilen van het slachtoffer dat uit het hechte vriendenclubje werd gestoten. Ze gebruiken deze privégegevens op een subtiele manier om het slachtoffer steeds meer psychische schade toe te brengen.

Mijn kind is toeschouwer
Het kan ook zijn dat je kind noch slachtoffer, noch dader is, maar wel een toeschouwer of omstander. Het kind vertoont zelf geen agressief gedrag, maar durft de daders ook niet te stoppen of er-

tegenin te gaan, vaak uit angst zelf een slachtoffer te worden. Ook hier kan een kind onder lijden. Je kind is gestrest want hij weet niet wat hij moet doen. Hij keurt het pestgedrag af maar doet niets om het te stoppen. Ook in dit geval is het belangrijk om je kind serieus te nemen en een gesprek aan te gaan.

Hoe meet je relationele agressie?

Nu we enkele signalen en kenmerken hebben opgesomd, herken je misschien zelf al wel bepaald gedrag als relationele agressie. Maar hoe meet je nu op een wetenschappelijke manier of iemand bestempeld kan worden als een 'dader van relationele agressie'?

Relationele agressie is niet eenduidig te meten. Mede hierdoor zijn de cijfers met betrekking tot het voorkomen van relationele agressie nogal wisselend. Veel van wat we over relationele agressie weten, wordt bepaald door een variëteit aan meetmethoden en meetinstrumenten. Bovendien zijn de resultaten van wetenschappelijk onderzoek naar relationele agressie ook afhankelijk van de mensen die ondervraagd worden; relationeel agressief gedrag kan immers door verschillende mensen en vanuit verschillende standpunten worden bekeken. Relationele agressie is moeilijker te meten dan fysieke en verbale agressie, omdat het vaak nogal verborgen plaatsvindt en daardoor minder zichtbaar en moeilijker te observeren is. Een eerste vereiste om tot een goede meting van relationele agressie te komen is dan ook dat degene die ondervraagd wordt geregeld contact heeft met het kind.

Er zijn verschillende instrumenten ontwikkeld om aan deze unieke omstandigheden tegemoet te komen. We bespreken ze hier kort.

Informatie van leeftijdgenoten

Een veelgebruikte manier om relationele agressie te meten is door vragen te stellen aan leeftijdgenoten (vaak klasgenoten) van het kind. Bij dit meetinstrument (ook wel peernominatie genoemd) moet iedere leerling van de klas een aantal namen noteren bij een beschrijving van een gedrag. Vaak luidt de opdracht: 'Noteer maximaal drie namen van klasgenootjes die volgens jou het gedrag vertonen dat in onderstaande zin wordt beschreven.'

Enkele voorbeelden van zulke zinnen zijn dan: 'Dit kind sluit andere kinderen uit de groep uit' of 'Dit kind zegt tegen vriendjes/vriendinnetjes dat hij/zij hen niet meer aardig vindt als ze niet doen wat hij/zij zegt.'

Deze meetmethode houdt enkele belangrijke voordelen in. Zo zijn klasgenoten betrouwbare informanten als het gaat om agressieve gedragingen van andere klasgenoten. Doordat het bij relationele agressie vaak gaat om subtiele, verdoken acties, blijft het gedrag voor buitenstaanders vaak onzichtbaar. In een groep worden de leden rechtstreekser met het gedrag geconfronteerd: ze zien bijvoorbeeld dat een klasgenootje buitengesloten wordt, of ze horen het geroddel.

Het is belangrijk dat ieder kind door verschillende klasgenoten wordt geëvalueerd. Dat kan een genuanceerder en accurater beeld geven. We moeten er immers rekening mee houden dat aan peernominatie ook nadelen verbonden zijn. Je bent namelijk afhankelijk van subjectieve informatie, die door verschillende factoren beïnvloed kan worden. Zo zullen sommige kinderen de waarheid misschien niet durven te zeggen, omdat ze bang zijn zelf het mikpunt van relationele agressie te worden. Of misschien willen ze een vriendje niet verklikken. Zowel situationele factoren (zoals sociale druk, kliekvorming) als individuele kenmerken van informanten (zoals leeftijd, sociale status, geslacht) kunnen het nomineren beïnvloeden. Ten slotte is het ook belangrijk om rekening te houden met het moment van de peernominatie. Misschien is er net een conflict in de klas, waardoor het resultaat van de ondervraging niet representatief is en het probleem veel groter lijkt dan het in werkelijkheid is. Anderzijds kunnen antwoorden ook beïnvloed worden door gedrag uit het verleden, waardoor het huidige functioneren niet in kaart wordt gebracht. Stel dat een kind maandenlang relationeel agressief gedrag heeft vertoond en op school algemeen bekendstaat als een grote pestkop. Zelfs al heeft dat kind de afgelopen weken geen agressief gedrag meer vertoond, dan is er toch een grote kans dat anderen hem nog altijd als 'agressor' bestempelen.

Informatie van leerkrachten en ouders

Leerkrachten of ouders kunnen vanuit hun perspectief aanvullende informatie geven over relationele agressie op school of thuis. Deze methode heeft ook een nadeel: niet alle gedragingen zullen voor hen even transparant zijn. Ouders hebben weinig zicht op het gedrag van hun kind op school en omgekeerd hebben leerkrachten weinig zicht op het gedrag van het kind thuis. Zo zullen de ouders vooral informatie verschaffen over hun kind als het thuis speelt met broers, zussen of vriendjes die langskomen. Leerkrachten zullen dan weer vooral informatie kunnen geven over het gedrag van het kind op school binnen een ruime sociale groep.

Informatie van het kind zelf

Zelfrapportage is een andere manier om relationele agressie te meten, vooral van de kant van het slachtoffer. De dader zal vermoedelijk minder geneigd zijn om zijn eigen relationele agressieve gedrag aan te geven. Ook hier is het belangrijk te nuanceren en waar mogelijk de informatie van het slachtoffer te toetsen aan andere bronnen.

Observatie

Relationele agressie kan ook gemeten worden via directe gedragsobservatie. In het verleden is bewezen dat dit een zeer betrouwbare methode is die minder beïnvloed wordt door voorkennis of vooroordelen dan bijvoorbeeld peernominatie. Het minder zichtbare karakter van relationele agressie maakt het vaak echter erg moeilijk en tijdrovend om dergelijk gedrag via observatie op het spoor te komen.

Hoe vaak komt relationele agressie voor?

In 2005 werd in Vlaanderen een grootschalig onderzoek gestart naar relationele agressie. Toen we dit onderzoek voorstelden aan de meewerkende scholen, kregen we steeds dezelfde vraag: 'Jullie onderzoek gaat over agressie, maar wat bedoelen jullie precies met relationele agressie? Daar hebben we nog nooit van gehoord. Vertonen de leerlingen op deze school dat gedrag?' Als we vervolgens aan de directie en leerkrachten uitlegden wat relationele agressie precies is, kregen we vaak hetzelfde antwoord: 'Nu snappen we wat jullie bedoelen, en ja hoor, de leerlingen hier op school vertonen dat gedrag.' Maar zowel directie als leerkrachten gaven daarna meestal aan dat ze dit gedrag weliswaar herkenden bij de leerlingen op school, maar dat het niet vaak voorkwam, en zeker niet zo hevig. Maar klopt dat wel? Komt relationele agressie inderdaad niet vaak voor, of in elk geval minder dan fysieke en verbale agressie?

Hoe vaak relationele agressie precies voorkomt, is moeilijk te zeggen. Er zijn al verschillende onderzoeken gedaan, maar de cijfers verschillen behoorlijk. Dat komt vooral omdat de definitie van relationele agressie die in die studies wordt gebruikt, niet altijd dezelfde is. En afhankelijk van de keuze van de definitie zal het voorkomen verschillen. Sommige studies gaan er bijvoorbeeld van uit dat een gedrag pas als relationele agressie te bestempelen valt als het herhaaldelijk door het kind wordt vertoond (chronisch gedragspatroon). Andere onderzoeken stellen dat zodra het kind een bepaalde relationeel agressieve handeling vertoont, het relationeel agressief is (eenmalige uitschieter). Het zal je niet verwonderen dat deze laatste studies een veel hoger percentage daders van relationele agressie opleveren. Bovendien heeft elke studie zijn specifieke kenmerken. Zo zal in het ene onderzoek de verdeling tussen jongens en meisjes gelijkmatiger zijn dan in het andere. En in het ene onderzoek zullen vooral jongere kinderen worden ondervraagd en in het andere juist iets oudere kinderen. Deze verschillende factoren beïnvloeden de cijfers inzake het voorkomen van relationele agressie.

Dit wil niet zeggen dat de resultaten van de verschillende onderzoeken helemaal nutteloos zijn. In het algemeen kunnen we stellen dat relationele agressie relatief frequent voorkomt bij zowel jongens als meisjes. Uit studies uit Noord-Amerika en Europa onder zich normaal ontwikkelende basisschoolkinderen bleek dat relationele agressie (9 tot 17% van de kinderen) en fysieke/verbale agressie (8 tot 15% van de kinderen) ongeveer even vaak voorkomen. Heel belangrijk is dat in deze cijfergegevens kinderen als 'agressief' worden beschouwd als ze opvallend hoger scoren dan het groepsgemiddelde voor agressie. Ieder kind vertoont immers weleens agressief gedrag zonder dat dit problematisch is. Deze cijfers slaan dus op kinderen die meer dan gemiddeld agressief gedrag vertonen en bij wie bijgevolg sprake is van probleemgedrag.

In onze contreien is onderzoek naar relationele agressie nog vrij schaars. De Vlaamse studie die we daarnet aanhaalden, is een van de weinige. Ongeveer 600 kinderen werden daarbij drie jaar lang gevolgd. Elk jaar vulden ze dezelfde vragenlijsten in, zodat de onderzoekers hun evolutie goed konden volgen. Zo konden we het agressieve gedrag van kinderen in kaart brengen. De antwoordmogelijkheden bij elke vraag waren:

1 = nooit van toepassing
2 = weinig van toepassing
3 = soms van toepassing
4 = vaak van toepassing
5 = altijd van toepassing

Het zou ons te ver leiden om alle vragen uit het onderzoek te overlopen. We focussen daarom even op twee vragen: 'Sluit het kind andere kinderen uit wanneer het boos is?' en 'Negeert het kind andere kinderen?' De percentages in de grafieken weerspiegelen de gemiddelde waarden over de drie jaren heen.

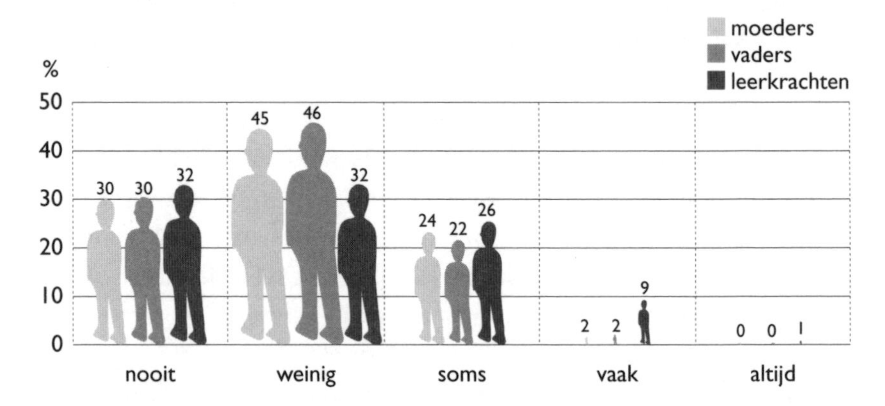

Figuur 2: *Antwoorden van ouders en leerkrachten op de vraag 'Sluit het kind andere kinderen uit wanneer het boos is?'*

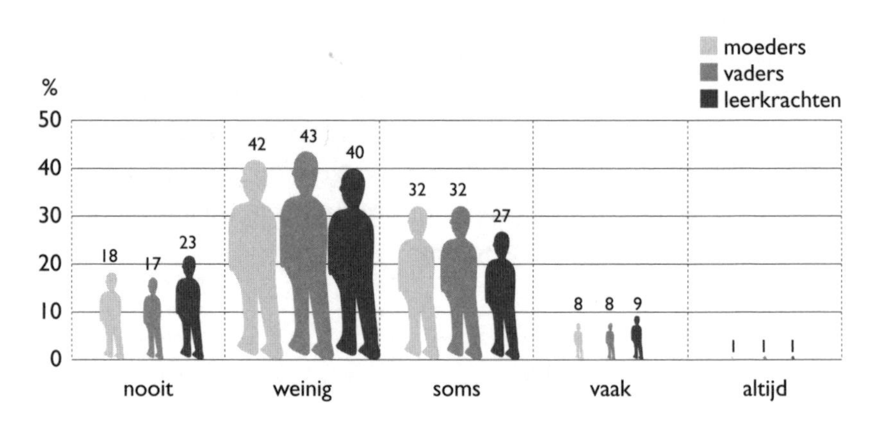

Figuur 3: *Antwoorden van ouders en leerkrachten op de vraag 'Negeert het kind andere kinderen?'*

Als we de antwoorden van de ouders en de leerkrachten met elkaar vergelijken, valt een aantal zaken op. Zo is er telkens meer overeenstemming tussen de antwoorden van moeder en vader dan tussen de antwoorden van de leerkracht en die van moeder of vader. Dit kan te maken hebben met het feit dat ouders vooral het gedrag van hun kind thuis in gedachten houden. Leerkrachten zullen hun antwoorden juist baseren op het gedrag van het kind op school. Aangezien het niet ondenkbaar is dat een kind zich thuis anders gedraagt dan op school, kan dit het verschil verklaren. Het verschil tussen ouders en leerkrachten is echter relatief klein, zodat we veilig kunnen stellen dat er een grote overeenstemming is tussen alle informanten.

Als we figuur 2 en 3 nauwkeuriger bekijken, zien we ook een asymmetrische (rechtsscheve) verdeling: het merendeel vertoont nooit, weinig of soms relationele agressie, terwijl relatief weinig kinderen het vaak tot altijd vertonen. Dit valt eenvoudigweg te verklaren door het feit dat de steekproef geen klinische steekproef was, maar een 'normale' steekproef van kinderen. Met andere woorden: er zaten geen probleemkinderen in van wie we konden verwachten dat ze vrij frequent relationele agressie zouden vertonen. Toch laten deze gegevens ook zien dat ieder kind weleens relationeel agressief gedrag vertoont en dat relationele agressie dus niet alleen voorkomt bij probleemkinderen.

Verder blijkt uit het onderzoek ook dat bepaalde relationeel agressieve gedragingen frequenter voorkomen dan andere. Zo geeft de overgrote meerderheid van de moeders, vaders en leerkrachten aan dat hun kinderen nooit leugens verspreiden over anderen zodat de leeftijdgenootjes deze anderen niet leuk meer zouden vinden. Andere kinderen uitsluiten wanneer ze boos op hen zijn, bepaalde kinderen negeren of geruchten verspreiden over andere kinderen komen dan weer vaker voor.

Aangezien er relatief weinig cijfergegevens over relationele agressie beschikbaar zijn, is het niet zo eenvoudig om in te schatten wat bovenstaande gegevens nu precies betekenen. Daarom geven we in figuur 4 en 5 de antwoorden van de informanten over overte agressie, een vorm van agressie die veel beter bekend is. Het gaat hierbij specifiek om 'slaan, duwen of trekken' en 'betrokken raken bij fysieke gevechten'.

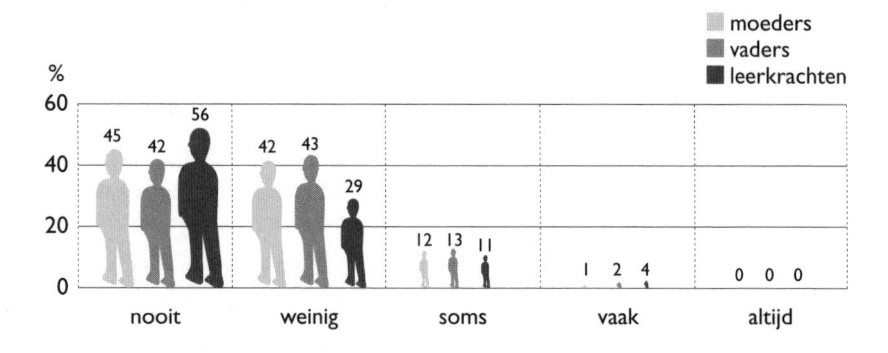

Figuur 4: *Antwoorden van ouders en leerkrachten op de vraag 'Slaat, duwt of trekt het kind andere kinderen?'*

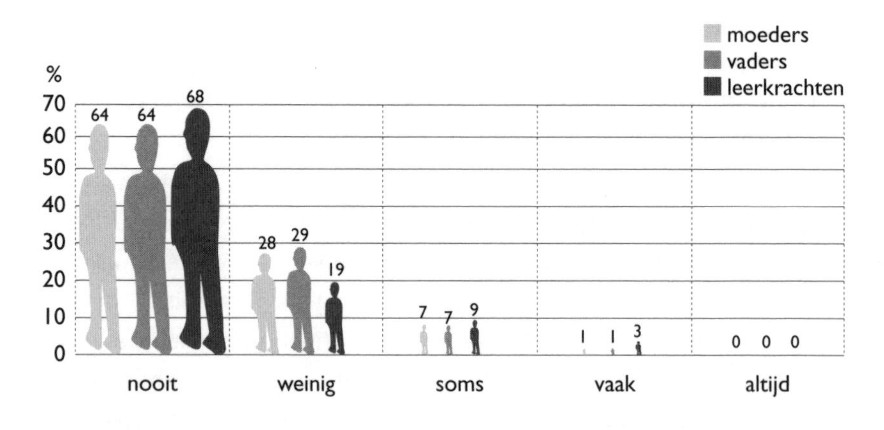

Figuur 5: *Antwoorden van ouders en leerkrachten op de vraag 'Raakt het kind betrokken bij fysieke gevechten?'*

Als we deze twee grafieken bekijken, zien we veel gelijkenissen met de grafieken over relationele agressie. Opnieuw valt hier de asymmetrische (rechtsscheve) verdeling op. Hier geldt dezelfde verklaring als bij relationele agressie: we hebben te maken met een groep 'normale' kinderen die 'normaal' gedrag vertonen, en niet met een groep probleemkinderen.

Ook hier is er een vrij grote overeenstemming tussen de scores van de verschillende informanten, wat ook wel te verwachten was, aangezien overte (openlijke) agressie per definitie duidelijk herkenbaar is.

Verder blijkt dat ongeveer de helft van de kinderen nooit iemand slaat, duwt of trekt, dat ongeveer evenveel kinderen dit gedrag weinig tot soms vertonen en dat slechts een zeer klein percentage van de kinderen dit gedrag vaak tot altijd vertoont. De meerderheid van de kinderen zal helemaal nooit betrokken raken bij fysieke gevechten, voor één vierde tot één vijfde van de kinderen zal dit weinig tot soms gelden en slechts een kleine minderheid van de kinderen zal dit gedrag vaak tot altijd vertonen.

Als we deze resultaten vergelijken met de resultaten rond relationele agressie, kunnen we stellen dat relationele agressie ongeveer even vaak voorkomt als overte agressie en dus wel degelijk gedrag is dat onze aandacht verdient.

Als relationele agressie pesten wordt...

Iemand uitsluiten, roddelen... het lijkt verdacht veel op pesten. De grens tussen relationele agressie en pesten is inderdaad dun.

Bijna alle kinderen krijgen vroeg of laat met pestgedrag te maken: ze zijn slachtoffer, ze zijn dader of ze zien het gebeuren en blijven machteloos aan de zijlijn staan. Pesten is een groot probleem in onze maatschappij, niet alleen bij kinderen, maar ook bij volwassenen. Het is moeilijk aan te pakken, vooral omdat er heel diverse manieren zijn om te pesten: met geweld, met woorden, via relationele agressie... Er is openlijk pestgedrag, maar ook heel subtiel en verdoken pestgedrag. Soms weet het slachtoffer zelfs niet wie hem pest, wat het heel moeilijk maakt om te reageren.

Pestgedrag is met zijn tijd meegegaan en heeft in de diverse nieuwe media een vruchtbare voedingsbodem gevonden. Cyberpesten via Facebook en Netlog, of pesten via sms'jes: het zijn nieuwe vormen van pesten die erg moeilijk te controleren zijn, want veelal anoniem. En ze zijn heel bedreigend, omdat het in de verborgenheid gebeurt en de pakkans klein is. Vaak gebruiken relationele pestkoppen internet of e-mail om de vriendschappen van hun slachtoffers te saboteren.

Maar wat is nu precies pestgedrag? Is pesten hetzelfde als agressie? En waar ligt de grens tussen plagen en pesten?

Bij pesten gaat het om vijandig, vernederend of intimiderend agressief gedrag, dat altijd gericht is op hetzelfde kind. Het gebeurt vaak en gedurende lange tijd. Het kind dat het doelwit is, kan zich niet verweren. De 'pester' heeft op de een of andere manier meer macht dan het slachtoffer. Misschien is hij lichamelijk sterker, beter 'gebekt' of krijgt hij meer steun van een groep. Pesten gebeurt meestal door één persoon of door een klein groepje waarbij duidelijk één iemand het voortouw neemt. Het aantal daders is dus vaak beperkt, maar toch kan iedereen slachtoffer worden. Meer dan met bepaalde uiterlijke kenmerken of karaktereigenschappen heeft pesten te maken met de structuren waarin mensen zich bevinden. Pesten zegt vooral iets over de manier waarop mensen met elkaar omgaan en over ongelijke machtsverhoudingen.

Pesten gaat verder dan plagen. Bij pesten is er sprake van het systematisch vernederen en intimideren van (veelal) hetzelfde kind, terwijl hij zich daar niet tegen kan verweren. Bij plagen is iedereen weleens aan de beurt en dat gebeurt niet systematisch. De ene keer doet de een iets onaardigs, een volgende keer is het de ander.

Bovendien houdt het plagen op als iemand merkt dat de andere partij er niet van gediend is. Dan is plagen namelijk niet leuk meer.

Samenvattend kunnen we dus stellen dat agressie en pesten geen zuivere synoniemen van elkaar zijn. We spreken pas over pesten als een kind herhaaldelijk en gedurende een langere tijd blootgesteld wordt aan negatieve agressieve acties door een of meerdere andere kinderen. Bovendien is er in een pestrelatie sprake van een onevenwichtige machtsverhouding. Een kind kan dus relationeel agressief zijn zonder daarmee een relationele pestkop te zijn, terwijl een relationele pestkop altijd relationeel agressief is.

Maar ook in dit geval geldt: hoe je het gedrag ook benoemt, zowel agressie als pestgedrag heeft negatieve gevolgen voor de slachtoffers (en soms ook voor de daders).

Kort samengevat

- ✓ Relationele agressie is gedrag dat anderen kwetst door schade toe te brengen (of ermee dreigt schade toe te brengen) aan relaties, vriendschappen of het sociale leven.
- ✓ Verwante begrippen zijn indirecte en sociale agressie. Net zoals relationele agressie zijn dit subtiele, minder openlijke vormen van agressie.
- ✓ Relationele agressie is niet altijd makkelijk te herkennen en wordt vaak gemeten op basis van vragenlijsten die door verschillende informanten kunnen worden ingevuld.
- ✓ Uit onderzoek naar relationele agressie blijkt dat basisschoolkinderen zowel relationele als overte (openlijke) agressie gebruiken.
- ✓ Pesten gaat veel verder dan plagen. Pesten omvat altijd agressie, terwijl agressie niet altijd pesten omvat.

2 •• Zijn er verschillen?

Op het plein bij de middelbare school luistert een groep tienermeisjes aandachtig naar Emma, die gemene roddels over Lore vertelt. Ze wijst hierbij duidelijk in de richting van Lore, die iets verderop staat, en spoort haar vriendinnen aan om het meisje uit hun groep te sluiten. 'Met zo iemand willen jullie toch geen vrienden zijn?'

Aan de hand van het vorige hoofdstuk is het duidelijk dat Lore relationeel agressief gedrag vertoont. Dit wordt vaak als een 'vrouwelijke' vorm van agressie gezien; dat zie je ook in de media: roddelen of anderen uitsluiten zou typisch iets zijn voor meisjes, denk maar aan populaire soapseries zoals *Gossip Girl*. Maar is het echt zo dat meisjes vaker roddelen en anderen uitsluiten dan jongens? En hoe zit het met het verschil tussen jonge en oudere kinderen? Als je het bovenstaande voorbeeld leest, lijkt het waarschijnlijk vrij vanzelfsprekend dat pubers vaker relationele agressie gebruiken dan kleine kinderen, omdat kleuters niet zouden roddelen. Maar is dat wel zo?

Is relationele agressie een vrouwelijke vorm van agressie?

Ook jongens manipuleren!

We gaven in het vorige hoofdstuk al aan dat onderzoek naar agressie vroeger vooral focuste op slaan en schelden (fysieke en verbale agressie). Daaruit bleek dan dat jongens agressiever waren dan meisjes. In de beginjaren van het onderzoek naar relationele agressie suggereerden verschillende onderzoekers dat deze subtiele uitingen van agressie typischer zijn voor meisjes dan voor jongens. Maar is dat wel zo? Is relationele agressie inderdaad een 'vrouwelijke' vorm van agressie?

Vanuit een theoretisch standpunt kunnen we diverse redenen geven waarom meisjes meer relationele agressie zouden gebruiken dan jongens. Een biologische verklaring is dat meisjes genoodzaakt zijn om subtielere vormen van agressie te gebruiken omdat ze fysiek minder sterk zijn dan jongens, en om relaties te manipuleren heb je geen brute kracht nodig. Een tweede verklaring is van sociale aard. Jongens hebben vaak veel oppervlakkige relaties met leeftijdgenoten, terwijl meisjes eerder een beperkt aantal hechte vriendschappen opbouwen. Aangezien relationele agressie erop gericht is om relaties met leeftijdgenootjes te beschadigen, is het voor meisjes waarschijnlijk erger als deze hechte vriendschappen onder druk komen te staan. Een derde verklaring is dat ouders en andere volwassenen het gebruik van fysieke agressie door meisjes meer afkeuren ('meisjes vechten niet'), waardoor meisjes hun toevlucht zoeken tot subtielere agressieve gedragingen.

De invloed van geslacht op relationeel agressief gedrag is inmiddels in verschillende studies onderzocht. Als we de resultaten van al deze studies samenbrengen, blijkt dat er bij relationele agressie helemaal geen uitgesproken geslachtsverschil bestaat. Deze conclusie weerlegt het beeld dat relationele agressie een 'vrouwelijke' vorm van agressie zou zijn: jongens maken zich wel degelijk even vaak schuldig aan roddelen, uitsluiten of manipuleren van relaties als meisjes.

Relationele agressie komt dus even vaak voor bij jongens als bij meisjes, maar meisjes zoeken hun toevlucht wel vaker in relationele dan in fysieke agressie. Jongens daarentegen gebruiken zowel relationele als fysieke agressie.

Toch zou het kunnen dat er in bepaalde situaties wel een geslachtsverschil bij relationele agressie is. Misschien verschilt deze vorm van agressie wel gedurende een bepaalde leeftijdsperiode en manipuleren puberende meisjes bijvoorbeeld vaker relaties dan puberende jongens. Of misschien speelt de cultuur een bepalende rol. Bovendien hebben we het tot nu toe steeds gehad over verschillen tussen jongens en meisjes in het gebruik van relationele agressie, maar op wie richten deze daders hun agressieve pijlen, vooral op meisjes, op jongens of op allebei?

Speelt leeftijd een rol?

Je zou kunnen verwachten dat er tijdens de adolescentie wel degelijk een verschil merkbaar is tussen jongens en meisjes als het gaat om relationele agressie. Daar zijn verschillende redenen voor. Tijdens de adolescentie worden de verschillen tussen meisjes en jongens veel uitgesprokener. Niet alleen gaan jongens en meisjes er fysiek duidelijk anders uitzien, maar ze gaan ook meer geslachtsspecifiek gedrag vertonen. Bovendien brengen adolescenten steeds meer tijd door met adolescenten van hetzelfde geslacht, waardoor gedrag dat typisch is voor een bepaald geslacht bekrachtigd zou kunnen worden. Dit kan ertoe leiden dat de geslachtverschillen voor relationele agressie meer uitgesproken worden tijdens de adolescentie. Herinner je dat fysieke agressie ook op jongere leeftijd typischer is voor jongens. De lichamelijke en sociale veranderingen tijdens de adolescentie zouden als gevolg kunnen hebben dat jongens eerder hun toevlucht zullen zoeken tot fysieke dan tot relationele agressie. Anders gezegd, adolescente meisjes zouden niet meer relationele agressie gaan stellen, maar adolescente jongens zouden net minder gebruik kunnen maken van relationele agressie. Hierdoor zou er een groter verschil in het gebruik van relationele agressie door jongens en meisjes merkbaar kunnen worden.

Het lijkt dus niet onwaarschijnlijk dat geslachtsverschillen in relationele agressie bij pubers duidelijker merkbaar zijn. Toch blijkt uit alle studies dat leeftijd niet echt een invloed heeft op deze geslachtsverschillen. In het Vlaamse onderzoek naar opvoeding en relationele agressie werd relationele agressie iets minder gebruikt door adolescente jongens, maar dit is echter geen uitgesproken daling. Hierdoor blijft het geslachtsverschil vergelijkbaar bij basisschoolkinderen (8 jaar) en adolescenten van 12 jaar (figuur 6).

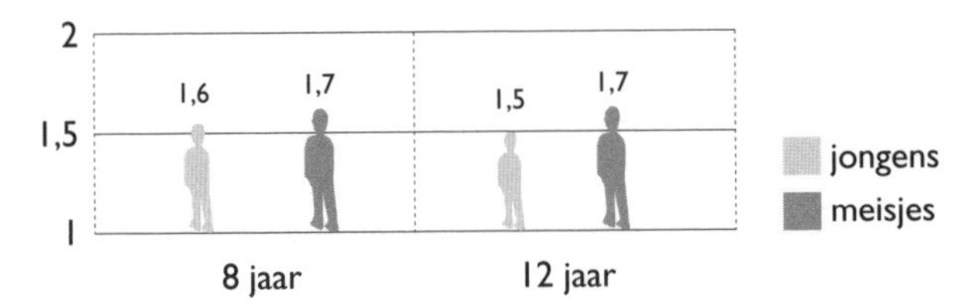

Figuur 6: *Gemiddelde scores op vragen over relationele en overte agressie (1= nooit, 5= altijd). In tegenstelling tot wat je zou verwachten, is bij adolescenten nog steeds geen uitgesproken verschil merkbaar tussen jongens en meisjes als het gaat om relationele agressie.*

Culturele verschillen?

De invloed van geslacht op relationele agressie is in diverse landen, continenten en culturen onderzocht. In een recent onderzoek werden deze studies samengebracht om na te gaan of er daadwerkelijk verschillen zijn tussen de diverse culturen. Dat blijkt niet het geval te zijn: de cijfers zijn in verschillende landen, continenten en culturen vrij eenduidig.

Wie is het slachtoffer van relationele agressie?

Sommige onderzoeken suggereren dat meisjes vaker het slachtoffer van relationele agressie zijn dan jongens, maar de resultaten zijn zeker niet overtuigend.

Belangrijk is ook de vraag naar de impact van de agressie op het slachtoffer. Verschillende studies tonen aan dat meisjes meer van streek raken door problemen of conflicten van sociale aard dan jongens. Bovendien zijn meisjes eerder geneigd om informatie uit sociale interacties te integreren met hun zelfbeeld. Met andere woorden: meisjes voelen zich sneller persoonlijk aangevallen. Deze bevindingen doen vermoeden dat meisjes die het slachtoffer zijn van relationele agressie daar meer negatieve gevolgen van ondervinden. Jongens stappen vermoedelijk iets makkelijker over relationele agressie heen, terwijl de psychosociale problemen bij meisjes vaak grotere proporties aannemen.

Tijdens de middagpauze spelen een paar kinderen uit de klas een spel, maar Steffie en Ben worden opzettelijk buitengesloten. Ben fronst even zijn wenkbrauwen, maar sluit zich dan aan bij een andere groep en denkt er verder niet over na. Steffie daarentegen voelt zich persoonlijk aangevallen omdat ze niet mee mag doen. Ze is erg aangedaan door het voorval. Ze zit de hele pauze alleen op een bank te tobben over wat er mis is met haar.

Meer gelijkenissen dan verschillen

We kunnen dus stellen dat er meer gelijkenissen dan verschillen zijn tussen jongens en meisjes als het gaat om relationele agressie. Waarom worden relationele agressieve gedragingen, zoals gemene roddels verspreiden of anderen uitsluiten, meestal dan toch gezien als gedrag dat typerend is voor meisjes? Hier zijn verschillende verklaringen voor.

Kinderen hebben al op jonge leeftijd een seksestereotiep beeld; zo zullen ze voor zichzelf bepalen dat meisjes relationele agressie gebruiken en jongens fysieke agressie. Deze misvatting leidt er bovendien toe dat kinderen informatie zodanig verwerken dat het in lijn is met dit stereotiepe beeld. Het is mogelijk dat kinderen informatie die niet overeenstemt met dit beeld gewoonweg niet opslaan. Maar het zou ook kunnen dat ze deze informatie wel opslaan maar incorrect uit hun geheugen ophalen. Zulke verstoringen in de verwerking van informatie kunnen natuurlijk belangrijke gevolgen hebben. Als je bijvoorbeeld aan kinderen vraagt welke kinderen in de klas relationele agressie gebruiken, zullen ze misschien eerder geneigd zijn meisjes op te noemen. Dit sluit namelijk aan bij het beeld dat ze hebben, maar het is niet per se een correcte weergave van de realiteit. Kortom, deze seksestereotiepe overtuigingen, die we al op jonge leeftijd vormen, kunnen ertoe leiden dat we sociale informatie zodanig verwerken dat ze bevestigd worden.

De media versterken het stereotiepe beeld dat relationeel agressieve gedragingen vrouwelijke uitingen zijn. Denk maar aan de vrouwelijke personages in populaire soapseries zoals *Mooi en Meedogenloos*, *Buren* of *De Dingen des Levens*.

Ten slotte leidt de vergelijking met fysieke agressie vaak tot de misvatting dat relationele agressie een vrouwelijke vorm van agressie is. Omdat meisjes en vrouwen vaker relationeel dan fysiek agressief gedrag vertonen, wordt vaak gedacht dat relationele agressie een vrouwelijke vorm van agressie is. Maar dit klopt uiteraard niet, want jongens vertonen het ook. De correcte conclusie is dat meisjes eerder geneigd zullen zijn om relationele dan fysieke agressie te gebruiken, terwijl jongens zowel relationele als fysieke agressie gebruiken.

Kleine kinderen worden groot en hun gedrag wordt complexer

Op welke leeftijd komt relationele agressie voor het eerst voor?

Het gedrag van kinderen evolueert naarmate kinderen ouder worden. Dit geldt ook voor agressief gedrag. Wanneer heel jonge kinderen agressief gedrag vertonen, gaat het vaak om fysieke handelingen (slaan, bijten, krabben...). Eenvoudig verbaal agressief gedrag komt echter ook voor.

Op het schoolplein duwt de vierjarige Thomas zijn klasgenootje Rob expres van het klimrek omdat hij er graag op wil. Rob roept: 'Jij bent stom,' en hij geeft Thomas op zijn beurt een flinke duw.

Rob en Thomas gebruiken heel eenvoudige manieren om hun agressie te uiten. De cognitieve ontwikkeling van kleuters is namelijk nog niet voldoende ontwikkeld om verfijndere en complexere manieren aan te wenden. Naarmate de mogelijkheden van kinderen toenemen, zullen ze agressie ook op subtielere manieren kunnen uiten.

Een paar jaar later zijn Thomas en Rob de beste vrienden en lid van dezelfde voetbalclub. Deze week hebben ze op school echter ruzie gemaakt. Thomas had zijn proefwerk niet geleerd, maar Rob weigerde hem te laten spieken. In het weekend was Thomas extra vroeg naar het voetbal gegaan, waar hij tegen iedereen zei dat ze niet meer met Rob mochten omgaan omdat hij niet cool is.

Het is moeilijk om precies te bepalen op welke leeftijd deze subtiele relationele agressieve gedragingen voor het eerst worden gebruikt. Wel zijn er aanwijzingen dat relationele agressie op jonge leeftijd (bij kinderen jonger dan 3) niet voorkomt. De vaardigheden van heel jonge kinderen zijn dan immers nog beperkt. Bovendien zijn kleine kinderen volop bezig met het aanleren van taal, terwijl taal net een basisvoorwaarde is voor veel relationeel agressief gedrag. Ook duurt het een aantal jaren voordat de *Theory of Mind* ('ik denk dat jij denkt...') zich uit bij kinderen, terwijl dit waarschijnlijk ook noodzakelijk is om relationele agressie te gebruiken. Voor niet-verbaal relationeel agressief gedrag, zoals iemand bewust negeren, hebben kinderen vermoedelijk nog verfijndere en complexere vaardigheden nodig. Voordat ze drie zijn, hebben kinderen deze mogelijkheden meestal nog niet, waardoor het voor hen zogoed als onmogelijk is om relationele agressie te gebruiken. Een extra aanwijzing dat relationele agressie vrijwel verwaarloosbaar is bij jonge kinderen, is het soort spel dat ze spelen.

In de crèche spelen de tweejarige Joren, Evelien en Tobias in de zandbak. Joren maakt een zandkasteel, Evelien bakt pannenkoeken en Tobias sleept een vrachtwagen door het zand.

Ook al zitten de kinderen fysiek bij elkaar in de buurt, ze beïnvloeden elkaars spel niet. Joren, Evelien en Tobias spelen niet mét elkaar, maar náást elkaar. In wetenschappelijke termen heet dat 'parallel spel': ze spelen met hetzelfde materiaal, op dezelfde locatie, maar er is geen echte interactie. In de volgende maanden en jaren maken peuters de overgang van 'parallel spel' naar 'sociaal spel', waarbij ze echt samen spelen en er dus wederzijdse interactie is. Ze wisselen speelgoed uit, doen spelletjes of bedenken samen wat ze kunnen doen. Omdat relationele agressie gericht is op het beschadigen van relaties, zijn wederzijdse interacties tussen kinderen waarschijnlijk noodzakelijk om deze vorm van agressie te kunnen gebruiken.

We suggereren hiermee niet dat relationele agressie tijdens de eerste drie levensjaren helemaal niet kan voorkomen, maar waarschijnlijk moet een kind eerst belangrijke ontwikkelingsmijlpalen bereiken voordat relationele agressie zich kan ontwikkelen en op een betrouwbare manier gemeten kan worden.

Heel jonge kinderen kunnen tijdens deze periode echter wel aan relationeel agressief gedrag blootgesteld worden, waaruit ze zelfs aspecten van deze vorm van agressie kunnen leren of overnemen. Een oudere broer of zus kan bijvoorbeeld relationele agressie gebruiken tegenover andere gezinsleden. Maar hoe zien relationeel agressieve gedragingen van kleuters, kinderen en pubers er dan precies uit? En evolueert dit gedrag ook naarmate kinderen ouder worden? In de volgende paragrafen zullen we deze vragen onder de loep nemen.

Relationele agressie bij kleuters

Janneke gaat op een woensdagmiddag bij haar vriendinnetje Loes spelen. De twee kleuters spelen al een tijdje met de poppen in de speelhoek. Loes speelt met de prinses, maar Janneke wil ook graag met die pop spelen. Ze vraagt aan Loes of zij nu met de prinses mag spelen, maar Loes vindt dit geen goed idee. Janneke is boos omdat ze de pop niet krijgt. Ze kijkt naar Loes en zegt: 'Als ik niet met de prinses mag spelen, dan speel ik niet meer samen met de poppen.'

In dit voorbeeld is het relationeel agressieve gedrag eenvoudig en openlijk. Janneke zegt rechtstreeks tegen Loes wat er zal gebeuren als die haar eis niet inwilligt. Het conflict gaat ook over een probleem dat op dat moment speelt, namelijk niet een bepaald stuk speelgoed krijgen dat het kind wil.

Uit onderzoek blijkt dat zulke relationele agressie al voorkomt bij kleuters van drie jaar oud. Relationele agressie op deze leeftijd is altijd eenvoudig, direct of openlijk (dus rechtstreeks op een ander kind gericht) en het is een reactie op een recent probleem of conflict.

Nick heeft zijn vriend Daan verboden om met Niels te spelen. Daan wil echter graag met de blokken spelen, en het toeval wil dat Niels daar net mee wil gaan spelen. Daan legt het verbod van Nick naast zich neer en gaat naast Niels bij de blokken zitten.

Het voorbeeld van Daan, Niels en Nick laat zien dat op jonge leeftijd een activiteit duidelijk prioriteit krijgt boven de loyaliteit ten aanzien van een ander kind. Voor de meeste kleuters staan de activiteiten die ze kiezen centraal en niet zozeer specifieke vriendschapsbanden. Hierdoor zijn relationele agressieve strategieën tijdens de kleuterperiode waarschijnlijk minder effectief dan later.

Relationele agressie op de basisschool

Een groot deel van het onderzoek naar relationele agressie werd uitgevoerd onder basisschoolkinderen en daaruit blijkt dat relationele agressie bij oudere kinderen verfijnder en complexer wordt. Basisschoolkinderen geven bijvoorbeeld volgende antwoorden op de vraag: 'Wat doen de meeste kinderen wanneer ze gemeen willen zijn tegen andere kinderen?'

Ze verspreiden een leugen over het andere kind.
Ze zeggen: 'Wij gaan een groep vormen en jij hoort er niet bij.'
Ze doen alsof ze het andere kind niet zien.
Ze spreken niet tegen het andere kind, schrijven gemene briefjes over hem en roddelen over hem.

Basisschoolkinderen gebruiken dus ook subtiele vormen van relationele agressie, zoals iemand doelbewust niet uitnodigen voor een feestje omdat ze de vorige keer zelf ook niet door het kind waren uitgenodigd.

Op deze leeftijd kunnen kinderen verfijnd en complex relationeel agressief gedrag gebruiken omdat ze een uitgebreidere woordenschat hebben en omdat ze zich kunnen verplaatsen in het standpunt van anderen. Basisschoolkinderen willen ook graag door andere kinderen geaccepteerd worden en proberen daarom directe conflicten zo veel mogelijk te vermijden. Ze vinden het belangrijk om hechte vriendschappen te hebben, of om 'beste' vrienden te zijn. De vriendengroep bestaat hoofdzakelijk uit kinderen van hetzelfde geslacht. Omdat aanvaarding door anderen en vriendenschap in deze periode belangrijk zijn, gebruiken ze de sociale groep waarschijnlijk om anderen te kwetsen.

Tim probeert ervoor te zorgen dat andere kinderen Simon en Stef niet leuk vinden, door achter hun rug om leugens over hen te vertellen.

Omdat Hannah boos is op Laura, verwijdert ze Laura op Hyves en Netlog uit haar vriendengroep.

Op de basisschool staat relationele agressie vaak gelijk aan het inzetten van de vriendengroep tegen een ander kind. Kinderen kunnen gekwetst worden doordat ze daadwerkelijk door leeftijdgenootjes worden afgewezen of doordat ze zich buitengesloten voelen. In het Vlaamse onderzoek naar opvoeding en relationele agressie gaven leerkrachten aan dat het buitensluiten van een kind door het merendeel van de basisschoolkinderen ten minste af en toe wordt gedaan wanneer ze boos op het kind zijn. In figuur 7 is te zien hoeveel kinderen van deze strategie gebruikmaken.

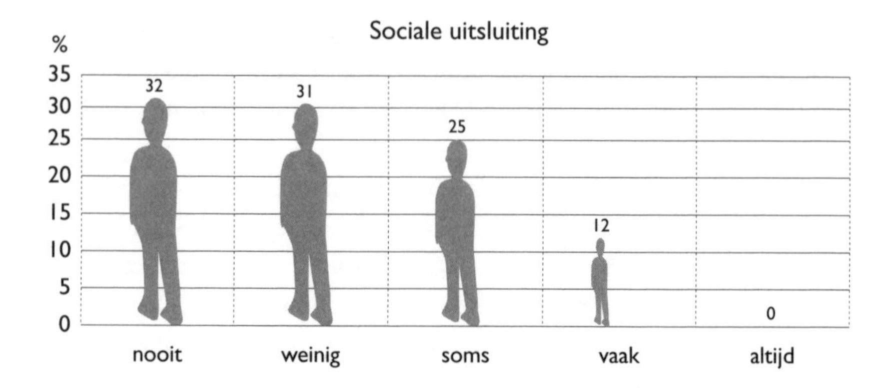

Figuur 7: *Een minderheid van de kinderen (12 procent) zoekt vaak tot altijd hun toevlucht in sociale uitsluiting, 56 procent van de kinderen gebruikt deze strategie weinig tot soms, 32 procent doet nooit aan sociale uitsluiting.*

Relationele agressie kan tijdens deze periode ook een stiekem karakter hebben. In tegenstelling tot het agressieve gedrag van kleuters, dat rechtstreeks tegen het slachtoffer gericht is, gebruiken oudere kinderen relationeel agressief gedrag waarbij ze minder direct met het slachtoffer worden geconfronteerd.

Omdat Chris boos is op Bert, zegt hij tegen andere kinderen uit de klas dat Bert een viezerik is die zich niet vaak wast. Zo probeert hij anderen zo ver te krijgen om niet meer met Bert om te gaan.

In dit voorbeeld is het agressieve gedrag van Chris niet direct tegen Bert gericht, maar probeert Chris de relaties die andere kinderen met Bert hebben te beschadigen. Deze indirecte vormen van relationele agressie kunnen alleen maar doeltreffend zijn als de dader beseft dat ze het slachtoffer kunnen kwetsen.

Naast deze indirecte strategie vertonen basisschoolkinderen ook nog steeds het directe relationeel agressieve gedrag (zoals iemand openlijk negeren).

Het Vlaamse onderzoek naar opvoeding en relationele agressie verzamelde informatie over indirecte én directe vormen van relationele agressie. In het kader van indirecte relationele agressie werd bijvoorbeeld gesteld: 'Wanneer dit kind boos is op een leeftijdgenootje, probeert het andere kinderen zo ver te krijgen dat ze niet meer met het leeftijdgenootje spelen of dat ze het leeftijdgenootje niet meer leuk vinden.' In figuur 8 worden de antwoorden op deze vraag visueel weergegeven. Leerkrachten gaven aan dat meer dan de helft van 600 kinderen uit het tweede, derde en vierde leerjaar/groep vier, vijf en zes deze indirecte vorm van agressie ten minste af en toe gebruikt omdat ze boos zijn op een ander kind.

Uit hetzelfde onderzoek bleek dat kinderen ook directe vormen van relationele agressie gebruiken. Op de stelling: 'Wanneer dit kind boos is op een leeftijdgenootje, negeert dit kind het leeftijdgenootje of praat het niet meer tegen het leeftijdgenootje,' gaven leerkrachten bijvoorbeeld aan dat slechts 23 procent van de kinderen deze strategie nooit gebruikt (figuur 9). Basisschoolkinderen blijken dus zowel directe als indirecte vormen van relationele agressie te gebruiken wanneer ze boos zijn op een leeftijdgenootje.

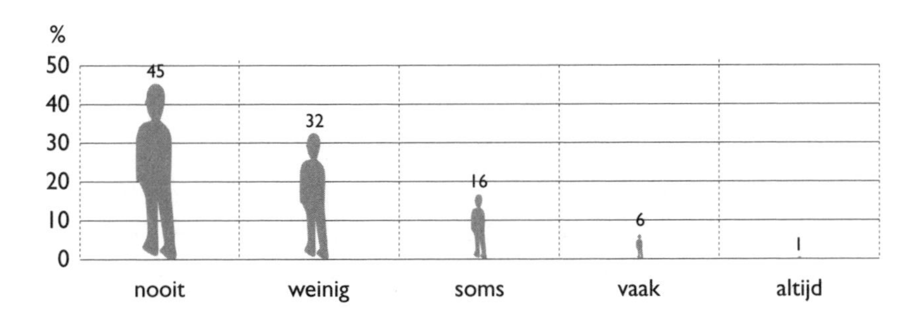

Figuur 8: *Leerkrachten geven aan dat meer dan de helft van de kinderen uit het tweede, derde en vierde leerjaar/groep vier, vijf en zes ten minste af en toe een indirecte vorm van agressie gebruikt omdat ze boos zijn op een ander kind.*

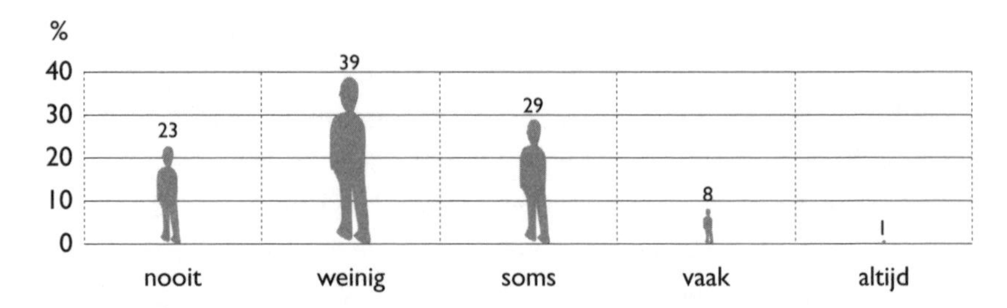

Figuur 9: *Ook de directe vormen van relationele agressie komen vaak voor bij basisschoolkinderen. Volgens hun leerkrachten gebruikt slechts 23 procent van de kinderen deze strategie nooit.*

Een laatste kenmerk van relationele agressie tijdens de basisschoolperiode is dat dit gedrag ook wordt vertoond als wraak voor een conflict uit het verleden. Terwijl kleuters dit gedrag voornamelijk vertonen als reactie op een onmiddellijk conflict ('Ik wil niet meer met jou spelen als ik die pop nu niet krijg'), kan er bij oudere kinderen meer tijd overheen gaan ('Jij mag niet naar mijn verjaardagsfeestje komen, omdat ik vorige week niet mee mocht voetballen'). Zulke strategieën kunnen dan gebruikt worden omdat het initiële conflict (niet mee mogen voetballen) niet werd opgelost. Door uitdrukkelijk naar het vorige conflict te verwijzen worden de spanningen tussen de betrokken kinderen weer aangewakkerd.

Relationele agressie tijdens de adolescentie

Tijdens de adolescentie streven jongeren naar onafhankelijkheid van hun ouders. Relaties met leeftijdgenoten nemen een centrale plaats in hun leven in. De structuur van het sociale netwerk verandert tijdens deze periode bovendien sterk. Terwijl basisschoolkinderen bijna uitsluitend vriendschappen met kinderen van hetzelfde geslacht hebben, neemt bij adolescenten de interesse voor vriendschappen en relaties met jongeren van het andere geslacht toe. Gezien de centrale plaats die leeftijdgenoten innemen, wint de sociale status aan belang: iedere puber wil aanzien en waardering binnen de sociale groep waartoe hij behoort. Niet alleen wordt het steeds belangrijker om een gunstige plek op de sociale ladder in te nemen, buiten de groep vallen is een ramp: pubers willen zich in de eerste plaats door hun leeftijdgenoten aanvaard voelen. Het is dan ook logisch dat het dwarsbomen van hechte vriendschappen en het onderuithalen van iemands sociale reputatie via relationele agressie als een immense bedreiging wordt gezien. Relationele agressie is tijdens de adolescentie dan ook een effectieve strategie om iemand te kwetsen.

Bij een Amerikaans onderzoek werd aan studenten gevraagd wat mensen doen om anderen te kwetsen. Uit de antwoorden kwam naar voren dat relationele agressieve gedragingen niet uitsluitend gericht zijn op contacten met personen van hetzelfde geslacht, maar dat dit gedrag ook in relaties (vriendschappen en romantische relaties) met het andere geslacht wordt vertoond. Een groot deel van de studenten antwoordt eveneens dat het kapotmaken van relaties een manier is om anderen te kwetsen (bijvoorbeeld de vriend of vriendin van iemand wegkapen). Ook gebruiken adolescenten relationele agressie niet alleen om de aanvaarding door personen van hetzelfde, maar ook door personen van het andere geslacht in twijfel te trekken (Evelien zegt tegen Anneleen dat een mannelijke student haar heeft gebeld en dat hij haar leuker vindt dan Anneleen).

Bovendien kunnen adolescenten misschien wel het best relationele agressie gebruiken, omdat ze op deze leeftijd zeer goed in staat zijn om dergelijke manipulatieve en kwetsende strategieën te onderscheiden en de impact ervan op relaties tussen personen te begrijpen. Zo blijkt uit onderzoek bijvoorbeeld dat relationeel agressief gedrag het vaakst wordt gebruikt door adolescenten met een zeer goed ontwikkeld sociaal inzicht.

Ondanks de kenmerken van relationele agressie die specifiek zijn voor deze ontwikkelingsperiode, is het meeste relationeel agressieve gedrag gelijk aan het gedrag van basisschoolleerlingen. Iemand bewust negeren (*silent treatment*) of gemene roddels verspreiden wordt bijvoorbeeld ook door adolescenten gezien als uitingen van relationele agressie. In het Amerikaanse onderzoek gaven studenten volgende voorbeelden:

Vrouwen vormen bondgenootschappen tegen andere vrouwen en verspreiden gemene roddels om de reputatie van anderen te schaden.

Mannen kwetsen vrouwen door hen bewust geen aandacht te geven.

Zowel gelijkenissen als verschillen

Tussen de kleutertijd en de adolescentie zien we zowel gelijkenissen als verschillen in het relationeel agressieve gedrag. Relationele agressie komt al voor bij heel jonge kinderen, maar wordt subtieler en complexer naarmate kinderen ouder worden. Kortom, kleine kinderen worden groot en hun gedrag wordt complexer. Het toenemende belang van sociale relaties tijdens de basisschoolperiode, de verschuiving in de samenstelling van de vriendengroepen bij jonge adolescenten en de centrale rol van relaties bij oudere adolescenten hebben invloed op de manier waarop relationele agressie tijdens de verschillende ontwikkelingsperiodes wordt geuit. Naast de leeftijdspecifieke kenmerken van relationele agressie is er echter ook gedrag dat op elke leeftijd tot uiting komt, zoals iemand bewust negeren of sociale uitsluiting.

Het gedrag wordt complexer, maar gebruiken kinderen het ook vaker?

Toen Tobias in de kleuterklas/groep één en twee zat, omschreef zijn juffrouw hem als een heel slimme jongen. Ook in de volgende klassen haalde hij heel goede cijfers. Tobias is nu zeventien en nog steeds de bolleboos van de klas. Volgend jaar gaat hij naar de universiteit om voor ingenieur te studeren.

Tobias heeft van zijn kindertijd tot zijn puberteit natuurlijk ontzettend veel nieuwe vaardigheden ontwikkeld, maar hij is altijd Tobias gebleven: een slimme, intelligente jongen. Ook al komt intelligentie tijdens de diverse leeftijdsperiodes via andere concrete vaardigheden tot uiting, intelligentie is heel stabiel. Voor agressief gedrag geldt dit meestal ook.

We beschikken over veel informatie over het voorkomen van fysieke agressie. Het gebruik van fysieke agressie vertoont een piek rond de leeftijd van dertig maanden en komt vervolgens tijdens de kindertijd minder voor. Naarmate de taalbeheersing van kinderen zich verder ontwikkelt, worden fysieke uitingen van agressie vervangen door verbale vormen. Vooral tijdens de eerste jaren op de basisschool is er een duidelijke daling in fysieke agressie en een stijging in verbale agressie merkbaar.

Maar hoe ontwikkelt relationele agressie zich? Uit de vorige paragrafen weet je dat relationeel agressief gedrag verfijnder en complexer wordt naarmate kinderen ouder worden. Over de ontwikkeling van relationele agressie is echter nog heel weinig bekend. We proberen toch een aantal aanwijzingen op een rijtje te zetten.

Toen Jeroen acht was, vertelde zijn juffrouw dat hij andere kinderen expres negeerde als ze niet deden wat hij wou. Later merkten leerkrachten op dat jongens met wie Jeroen ruzie had niet meer met de groep mochten voetballen. Inmiddels is Jeroen twaalf en brengt hij veel tijd door op zijn kamer met vrienden. Vorige week hoorde zijn moeder toevallig een gesprek tussen Jeroen en zijn beste vriend Thomas. Jeroen zei dat Thomas het beter uit kon maken met zijn vriendinnetje. Ze had namelijk gisteren Jeroen gebeld om te zeggen dat ze hem leuker vond dan Thomas. Thomas wist echter niet dat Jeroens gsm al enkele dagen stuk was.

Dit voorbeeld toont duidelijk aan dat het relationeel agressieve gedrag verandert naarmate Jeroen ouder wordt, maar het gedrag blijft wel steeds aanwezig. Als kinderen op jonge leeftijd relationeel agressief gedrag vertonen, dan is de kans groot dat ze op de basisschool en in het secundair onderwijs ook hun toevlucht zullen zoeken tot dergelijk gedrag. Als we wat cijfermateriaal uit het onderzoek naar Vlaamse basisschoolkinderen bekijken, zien we dat het ontwikkelingspatroon van relationele agressie stabiel is (figuur 10). Dit wil zeggen dat relationele agressie tijdens de basisschoolperiode niet meer of minder voorkomt op een bepaalde leeftijd.

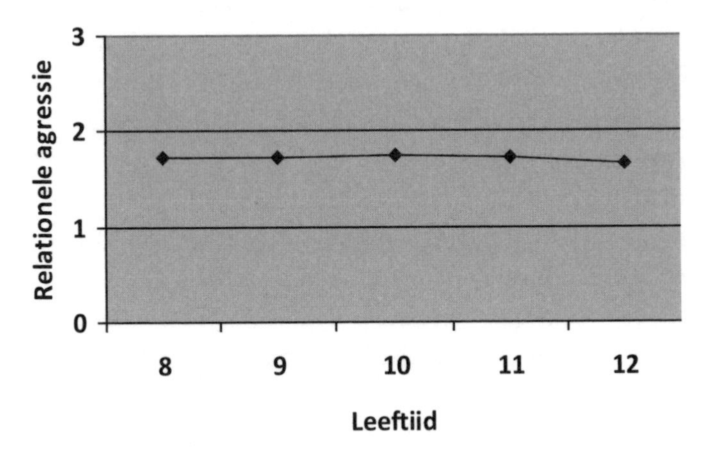

Figuur 10: *Gemiddelde scores voor relationele agressie bij kinderen van acht tot en met twaalf jaar, op basis van moederrapportages.*

In een andere studie onder jonge pubers (twaalf tot veertien jaar) werd er een lichte daling in het vertonen van relationele agressie gevonden.

Verschillende ontwikkelingspatronen?

Uit figuur 10 blijkt dat relationele agressie bij het gemiddelde basisschoolkind stabiel blijft: het kind zal dus evenveel relationeel agressief gedrag vertonen op acht- als op twaalfjarige leeftijd. Het 'gemiddelde kind' bestaat echter niet, en het ene kind is uiteraard het andere niet. Het is dan ook belangrijk om even te kijken of er verschillen zijn tussen bepaalde groepen kinderen.

Er is nog weinig onderzoek gedaan naar de ontwikkeling van relationele agressie, maar met behulp van een recente studie werden er tijdens de kindertijd twee ontwikkelingspatronen onderscheiden. Bij een eerste groep kinderen blijft het gebruik van relationele agressie stabiel van de kleutertijd tot het einde van de basisschoolperiode. Deze kinderen volgen dus een soortgelijk patroon als in de figuur hierboven. Bij een tweede groep kinderen is er echter een lichte stijging merkbaar in het gebruik van relationele agressie tussen de kleutertijd en het einde van de basisschoolperiode. Op twaalfjarige leeftijd zullen ze dus meer relationele agressie vertonen dan op vierjarige leeftijd.

Er zijn enkele mogelijke verklaringen voor deze verschillende ontwikkelingspatronen. Zo blijkt dat het ontwikkelingspatroon van relationele agressie tijdens de kindertijd iets verschilt voor jongens en voor meisjes. De ontwikkeling van relationele agressie bij jongens is door de tijd heen vaker stabiel. Met andere woorden: jongens vertonen als kleuter evenveel relationeel agressief gedrag als in de hogere klassen van de basisschool. Bij meisjes zien we meer relationele agressie op oudere leeftijd. Daarnaast hangen een lagere socio-economische status van de ouders (dit is de plaats die een gezin inneemt op de maatschappelijke ladder op basis van opleidingsniveau, beroep en/of inkomen van de ouders) en negatieve opvoedingsstrategieën (bijvoorbeeld wanneer ouders vaak overdreven boos worden of vaak niet consequent zijn bij het opvoeden van hun kind) samen met een stijging van relationele agressie tijdens de basisschoolperiode.

Wordt relationele agressie vaak gebruikt?

We hebben intussen aangetoond dat relationele agressie tijdens verschillende leeftijdsperiodes op verschillende manieren tot uiting kan komen, maar dat de frequentie van relationele agressie door de tijd heen redelijk stabiel is. Een andere belangrijke conclusie van het onderzoek naar relationele agressie is dat dit gedrag maar weinig voorkomt bij een toevallig gekozen groep basisschoolkinderen. Sporadisch gebruik van relationeel agressief gedrag kan dus als min of meer normaal gedrag worden gezien en wijst niet per se op probleemgedrag. Maar verder blijkt ook dat er bij achtjarigen al duidelijk verschillen zijn tussen de kinderen. Er zijn kinderen die dergelijk gedrag nooit vertonen, terwijl andere kinderen het juist zeer vaak vertonen. De algemene trends kunnen ouders ongetwijfeld helpen om in te schatten of hun kind relationeel agressief gedrag vertoont dat afwijkt van de norm. Sporadisch gebruik van relationele agressie is dus niet per se problematisch, maar wanneer ouders merken dat hun kind frequent dergelijk gedrag laat zien, kan het zinvol zijn om hulp te zoeken.

Kort samengevat

- ✓ Relationele agressie is geen vrouwelijke vorm van agressie. Dit soort agressie wordt zowel door jongens als door meisjes gebruikt.
- ✓ Meisjes zijn waarschijnlijk vaker het slachtoffer van relationele agressie en de gevolgen ervan zijn vermoedelijk ook ernstiger voor meisjes dan voor jongens.
- ✓ Relationele agressie komt al voor bij zeer jonge kinderen (vanaf drie jaar), maar wordt complexer en verfijnder naarmate kinderen ouder worden.
- ✓ Relationele agressie is door de tijd heen zeer stabiel.
- ✓ Sporadisch gebruik van relationele agressie is normaal.
- ✓ Al op jonge leeftijd zijn er duidelijke verschillen in de frequentie waarmee kinderen relationele agressie gebruiken.

---

3 •• Hoe ontstaat relationele agressie?

In de vorige hoofdstukken hebben we gezien wat relationele agressie precies is en hoe het tot uiting komt. Inmiddels is ook duidelijk geworden dat geslacht en leeftijd geen uitgesproken invloed hebben op het gebruik van relationele agressie: jongen of meisje, oud of jong, iedereen maakt zich er weleens schuldig aan. Maar welke factoren dragen dan wel bij tot relationele agressie?

Aangeboren of aangeleerd?

In dit hoofdstuk staat de vraag centraal waarom mensen zich op een bepaalde manier gedragen. Je zou kunnen denken dat agressie eigen is aan een persoon of dat iemand agressief wordt geboren, maar je zou ook kunnen denken dat je agressie leert doordat je het in je omgeving ziet of door wat je hebt meegemaakt. Deze tegengestelde opvattingen hebben te maken met het verschil tussenin het zogenaamde nature-nurturedebat. Aanhangers van de eerste strekking ('nature') zijn van mening dat bepaalde karakteristieken aangeboren zijn, terwijl aanhangers van de tweede strekking ('nurture') ervan uitgaan dat mensen door hun omgeving leren om zich op een bepaalde manier te gedragen. En diezelfde verschillen zie je dus ook bij de ideeën over het ontstaan van relationele agressie. Misschien lijkt dit vooral een theoretisch of filosofisch debat, maar aan beide visies zijn wel degelijk praktische gevolgen verbonden. Als je denkt dat biologische factoren (de 'nature'-strekking) aan de basis liggen van agressief gedrag, dan is het essentieel dat je kinderen leert om hun agressieve instincten te onderdrukken. Als je gelooft dat kinderen agressie leren uit hun omgeving (de 'nurture'-strekking), moet je zien te voorkomen dat kinderen dit agressief gedrag aanleren.

Tegenwoordig is het idee dat biologische én omgevingsfactoren een belangrijke rol spelen bij het ontstaan en in stand houden van agressief gedrag. Theorieën waarbij interacties tussen biologische en omgevingsfactoren centraal staan worden bio-ecologische modellen genoemd. Kinderen worden dus door verschillende factoren beïnvloed, zoals in figuur 11 wordt weergegeven. Deze factoren kun je het best zien als systemen die in elkaar ingebed zijn, ongeveer zoals de verschillende poppetjes van Russische matroesjka's in elkaar passen.

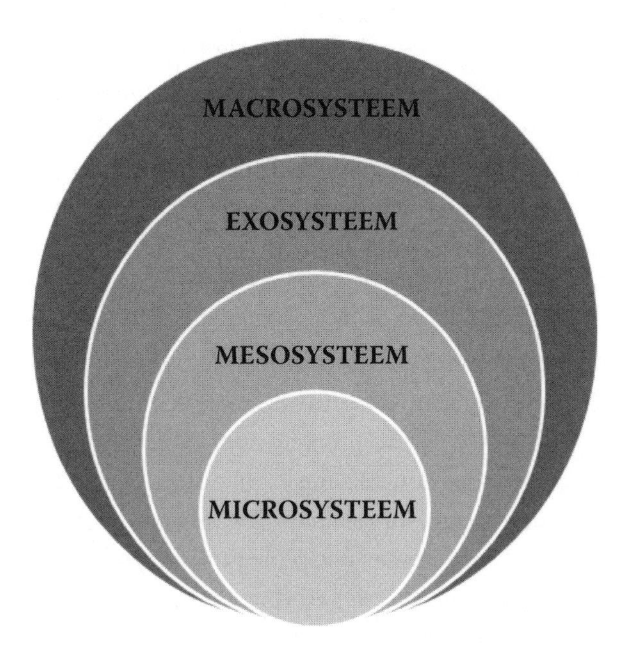

Figuur 11: *Kinderen worden door verschillende factoren beïnvloed, ongeveer zoals de verschillende poppetjes van Russische matroesjka's in elkaar passen.*

Het *microsysteem* omvat het kind en zijn onmiddellijke omgeving. Het gezin is de meest nabije en vroegste structuur waarin het kind vertoeft, maar ook de klas vormt een belangrijke structuur, omdat kinderen hier contact hebben met leeftijdgenoten. Het *mesosysteem* verwijst naar de verbinding tussen de structuren van het microsysteem waarvan het kind deel uitmaakt, zoals de band tussen de juffrouw van school en de ouders. Het *exosysteem* verwijst naar sociale structuren waar het kind zelf geen deel van uitmaakt, maar die wel invloed op het microsysteem kunnen hebben. Zo kan de werkomgeving van de ouders bijvoorbeeld impact hebben op het gezinsleven. Het *macrosysteem* verwijst naar de maatschappij en cultuur waarin kinderen opgroeien en dit beïnvloedt alle andere systemen. Zo oefenen maatschappelijke waarden en normen invloed uit op de werk-, school- en gezinsomgeving.

Een essentieel aspect van een bio-ecologisch model is dat de relaties of interacties binnen en tussen de verschillende systemen in twee richtingen lopen. Zo beïnvloedt het kind het gedrag van de ouders, maar de ouders hebben ook invloed op het gedrag van het kind. Deze wederzijdse invloeden zijn het stabielst binnen het microsysteem en hebben ook de grootste impact op de ontwikkeling van het kind. Om te begrijpen hoe een kind zich ontwikkelt en welke factoren een negatieve invloed kunnen uitoefenen, is het belangrijk om zicht te krijgen op deze mogelijke wederzijdse invloeden.

Momenteel weten we nog niet zo veel over factoren die kunnen bijdragen tot de ontwikkeling en handhaving van relationele agressie. Toch kunnen we een aantal kind- en omgevingsfactoren in verband brengen met het gebruik van relationele agressie. Omdat het onderzoek op dit terrein nog in de kinderschoenen staat, is het overzicht van mogelijke risicofactoren in de volgende paragraaf niet volledig. Wel biedt het mogelijk belangrijke richtlijnen om relationele agressie in een vroeg stadium te herkennen of – in het ideale geval – te voorkomen.

Zien, denken en doen…

Kinderen reageren niet zomaar op sociale signalen, hun reactie is het gevolg van complexe mentale processen. Om te begrijpen hoe kinderen informatie verwerken, moeten we deze mentale processen eerst in kaart brengen. Een voorbeeld kan hier zeker bij helpen.

Op zaterdagmiddag voetbalt een groep jongens op het schoolplein. Paul loopt op een bepaald moment Tom omver. Tom wordt dus geconfronteerd met een sociaal signaal: hij wordt omvergelopen. Hij zal deze informatie eerst decoderen met zijn zintuigen (stap 1). Daarna zal hij een betekenis aan dit signaal geven (stap 2). Tom kan bijvoorbeeld denken dat Paul hem per ongeluk heeft omvergelopen. Vervolgens zal Tom bedenken welk doel of welke uitkomst hij wil krijgen (stap 3). Zijn gewenste uitkomst kan bijvoorbeeld zijn 'ruzie met zijn beste vriend Paul vermijden.' Daarna zal Tom mogelijke reacties op de situatie formuleren (stap 4), zoals terugduwen, roepen of rustig blijven. Van deze mogelijke reacties, zal Tom de reactie kiezen die tot het beste resultaat zal leiden (stap 5). Ten slotte zal Tom de gekozen reactie ook daadwerkelijk uitvoeren en dus in gedrag omzetten (stap 6). Als Tom vindt dat hij in deze situatie het best kalm kan blijven, zou hij Paul een hand kunnen geven en zeggen dat een ongelukje snel gebeurd is.

Als Paul niet Tom, maar Steven had omvergelopen, zou die weleens helemaal anders gereageerd kunnen hebben. Steven en Paul hebben namelijk al de hele week ruzie. Als Steven zou denken dat Paul hem opzettelijk had omvergelopen (stap 2), zou hij misschien kwaad worden en wraak willen nemen (stap 3). Als hij van de mogelijke reacties (stap 4) 'terugduwen' het geschiktst zou vinden (stap 5), zou hij misschien overeind krabbelen, naar Paul toe lopen en hem een duw geven.

Sociale signalen kunnen verschillende vormen aannemen. Het kan, zoals in het voorbeeld, gaan om een duw tijdens een voetbalwedstrijd, maar een onvoldoende halen voor een wiskundetoets kan ook een sociaal signaal zijn. Volgens de theorie van de sociale informatieverwerking zijn er verschillende stappen te onderscheiden bij het verwerken van deze signalen:

1. decoderen van sociale signalen;
2. interpreteren van sociale signalen;
3. formuleren van doelen;

4. formuleren van mogelijke reacties;
5. kiezen van een reactie;
6. uitvoeren van de gekozen reactie.

De zesde stap heeft niet echt met het verwerkingsproces van het sociale signaal te maken, maar is de uitvoering van de gekozen reactie.

Kinderen met agressief gedrag vertonen tekorten en vervormingen in de sociale informatieverwerking. Voordat we ingaan op de tekorten en vervormingen die van belang kunnen zijn voor relationele agressie, lichten we eerst de verschillende stappen van het proces verder toe. Figuur 12 laat de verschillende stappen zien.

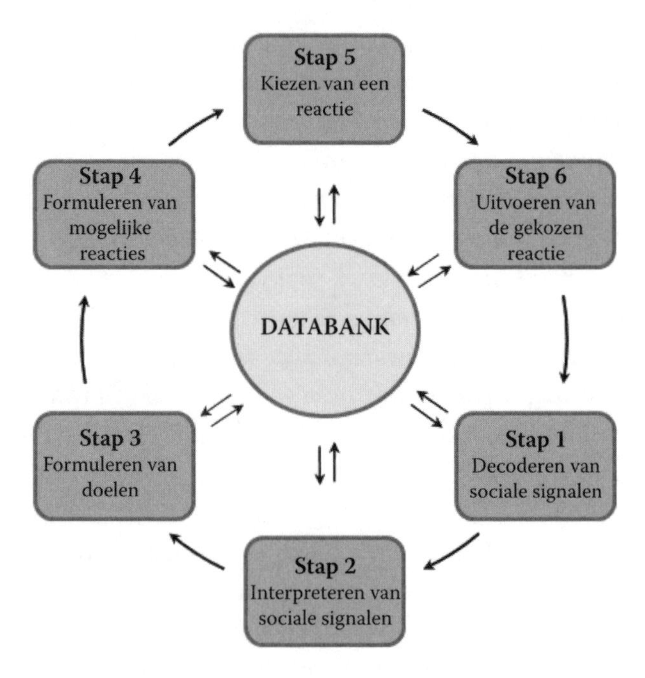

Figuur 12: *Volgens de theorie van de sociale informatieverwerking zijn er vijf stappen te onderscheiden bij het verwerken van deze signalen. De zesde stap heeft niet echt met het verwerkingsproces van het sociale signaal te maken, maar is de uitvoering van de gekozen reactie.*

In het midden van de figuur staat de databank van eerdere ervaringen; kinderen nemen eerdere ervaringen mee wanneer ze geconfronteerd worden met sociale signalen uit de omgeving. Zoals je in het voorbeeld van Tom en Paul kunt lezen, doorlopen kinderen eerst verschillende stappen voordat ze echt reageren op dergelijke signalen.

Stap 1: decoderen van sociale signalen

Op het moment dat Tom wordt omvergelopen, zal hij dit sociale signaal eerst ontcijferen. Hiertoe zal hij relevante informatie oppikken uit ontelbare sociale signalen die in zijn omgeving aanwezig zijn. Hij is dus selectief in de informatie waar hij aandacht aan schenkt. Dit proces wordt 'selectief decoderen' genoemd. Als je relevante informatie niet kunt decoderen, neemt de kans op een onaangepaste reactie toe. In het voorbeeld zal Tom relevante prikkels uit de omgeving ontcijferen: hij zag dat Paul achteromkeek terwijl hij in zijn richting liep, Paul keek verschrikt toen hij zich omdraaide, hij kreeg een duw van Paul en viel op de grond, zijn arm doet pijn, Paul reikt hem zijn hand om hem overeind te helpen… Maar intussen heeft hij misschien niet gezien dat Paul naar zijn pijnlijke elleboog greep toen hij hem hielp opstaan of dat Frank tegen Paul riep dat hij Tom opzettelijk liet struikelen.

Stap 2: interpreteren van sociale signalen

Tijdens de tweede stap wordt er gekeken naar de motivatie van het gedrag van anderen; de sociale signalen worden geïnterpreteerd. Het kind gaat op zoek naar wat achter een bepaald sociaal signaal schuilt. Waarom lacht Sara naar mij? En waarom wilde Loes haar speelgoed niet met mij delen, maar wel met Lukas? De betekenis die een kind aan een sociaal signaal geeft, bepaalt mede de uiteindelijke reactie. Bekijk nog even het voorbeeld. Steven interpreteert de duw van Paul als een gemene actie, waardoor er vermoedelijk een wraakreactie zal volgen. Tom interpreteert diezelfde duw als een ongelukje en reageert heel rustig.

Het interpreteren van sociale signalen kan worden beïnvloed of gestuurd door eerdere ervaringen die in het geheugen zijn opgeslagen (als een kind bijvoorbeeld vaak gepest wordt, zal hij een goedbedoelde opmerking van een klasgenootje sneller negatief interpreteren), maar kan ook aanpassingen tot gevolg hebben in de databank van eerdere ervaringen (als Paul Tom tijdens de volgende voetbalwedstrijd opnieuw omverloopt, zal Tom misschien niet meer zo vriendelijk reageren, omdat het eerste incident in zijn database is opgeslagen).

Stap 3: formuleren van doelen

In de derde stap formuleren kinderen de uitkomst die ze willen krijgen. Dat kunnen allerlei doelen zijn: Marieke wil niet in de problemen komen, Thomas wil wraak nemen, en Liesje wil met een specifieke pop spelen. Kinderen neigen vaak naar dezelfde doelen, maar ze kunnen hun doelen ook bijstellen of herformuleren naar aanleiding van bepaalde situaties. Thomas wil altijd wraak nemen als hij wordt uitgedaagd, maar als hij wordt uitgedaagd door zijn beste vriend, dan formuleert hij misschien wel andere doelen, zoals ruzie met zijn beste vriend vermijden.

Stap 4: formuleren van mogelijke reacties

In de vierde stap formuleren kinderen mogelijke reacties op de specifieke situatie. Ze kunnen die reacties uit hun geheugen halen, maar als een situatie voor het eerst voorkomt, bedenken ze misschien nieuwe reacties. Het formuleren van mogelijke reacties wordt mede bepaald door specifieke regels die opgeslagen zijn in het geheugen en door het persoonlijke register van mogelijke reacties. Zo kan het bijvoorbeeld dat het ene kind de regel 'indien opzettelijk uitgedaagd, vecht terug' volgt en het andere kind de regel 'indien uitgedaagd, loop weg'. Het formuleren van mogelijke reacties mag echter niet verward worden met het daadwerkelijk reageren. Een kind kan eraan denken iemand een duw te geven, maar dat wil niet zeggen dat hij die gedachte ook in de praktijk zal omzetten.

Stap 5: kiezen van een reactie
In de vijfde stap evalueert het kind de mogelijk reacties en kiest het de geschiktste. De evaluatie gebeurt vaak onbewust en kan beïnvloed worden door verschillende factoren, zoals de verwachte uitkomst van elke reactie ('als ik hem duw, krijg ik misschien straf'), het zelfvertrouwen om de reactie te kunnen uitvoeren ('ik zou hem wel willen duwen, maar ik durf niet, dus ga ik klikken bij de leerkracht') en de mate waarin elke reactie aangepast is ('duwen mag niet'). Het ligt voor de hand dat het kind reacties die het positief evalueert waarschijnlijk sneller in daden zal omzetten.

Stap 6: uitvoeren van de gekozen reactie
In de zesde stap wordt de gekozen reactie uitgevoerd. Met andere woorden: de mentale beslissing wordt omgezet in motorisch en/of verbaal gedrag.

Het proces stopt hier uiteraard niet plotseling, maar kan gezien worden als een circulair proces waarbij de verschillende stappen telkens opnieuw worden doorlopen naar aanleiding van reële situaties. Hierdoor kunnen kinderen voor elke stap specifieke verwerkingspatronen ontwikkelen, die ze in bepaalde situaties steeds gebruiken. Als Tom vaker wordt omvergelopen tijdens het voetballen, zou hij bijvoorbeeld het volgende patroon kunnen ontwikkelen: als uit relevante prikkels blijkt dat het niet expres gebeurde, vermijd dan conflicten en reageer vriendschappelijk.

Kinderen met agressief gedrag vertonen tekorten en vervormingen in de manier waarop ze informatie uit hun sociale omgeving verwerken. Dit betekent dat ze specifieke verwerkingspatronen hebben die agressief gedrag in de hand werken of in stand houden. Zo blijkt dat fysiek agressieve kinderen sociale signalen decoderen, interpreteren en evalueren op een manier waardoor ze sneller geneigd zijn om fysiek agressief gedrag te gebruiken.

Het onderzoek naar de sociale informatieverwerking van relationeel agressieve kinderen is nog beperkt, maar er zijn toch enkele risicofactoren bekend. Zo blijkt dat relationeel agressieve kinderen vooral probleemsituaties van relationele aard sneller als vijandig interpreteren. Deze risicofactor heeft betrekking op de tweede stap van het proces.

Annelies is jarig en geeft een feestje. Haar moeder heeft gezegd dat ze om praktische redenen niet alle 25 klasgenootjes kan uitnodigen. Annelies wil graag een pyjamafeestje en vraagt daarom alleen de meisjes. De meeste jongens in haar klas vinden het niet erg dat ze geen uitnodiging hebben gekregen, een pyjamafeestje is toch iets voor meisjes. Vincent denkt echter dat Annelies hem expres niet heeft uitgenodigd om hem buiten te sluiten.

Omdat Vincent het gemeen vindt dat hij niet is uitgenodigd, zal dit zijn uiteindelijke reactie hoogstwaarschijnlijk beïnvloeden. Hij zal kwaad worden op Annelies en misschien agressief gedrag gaan vertonen, terwijl de andere jongens uit de klas Annelies niets kwalijk nemen.

Een andere risicofactor die verbonden is aan het interpreteren van sociale signalen (stap 2), verwijst naar negatieve emoties die in conflictsituaties kunnen ontstaan. Zulke negatieve gevoelens kunnen een duidelijke invloed uitoefenen op de interpretatie van sociale signalen als gemeen of vijandig, en dit kan dan weer een agressieve reactie uitlokken. Ook ontwikkelen relationeel agressieve kinderen sneller negatieve emoties in probleemsituaties met een relationeel karakter, zoals ruzie met vrienden.

Na het sporten hoort Jasper in de kleedhokjes zijn beste vriend met een paar klasgenoten afspreken om samen naar de film te gaan. Jasper voelt zich gekwetst en boos omdat hij niet is uitgenodigd. Hierdoor zal hij het gedrag van zijn beste vriend sneller als gemeen beschouwen ('mijn beste vriend wil niet dat ik meega'), waardoor hij zijn beste vriend op zijn beurt expres zal negeren.

Ook wordt relationele agressie in verband gebracht met het formuleren van specifieke doelen (stap 3). Kinderen associëren relationeel agressief gedrag met doelen zoals zelfbelang, controle en wraak, maar ook met het vermijden van problemen en het in stand houden van relaties met een grotere groep kinderen. Fysiek agressief gedrag wordt uitsluitend in verband gebracht met zelfbelang, controle en wraak. Dit zou kunnen betekenen dat relationele agressie een goede strategie is voor kinderen die wraak willen nemen of andere kinderen willen domineren, maar tegelijk problemen willen vermijden of hun eigen reputatie in de groep niet willen beschadigen.

Op het schoolplein wordt vaak gevoetbald. Maarten is altijd keeper, maar vandaag heeft Simon, die anders nooit meedoet, al plaatsgenomen in het doel. Maarten is boos op Simon, want hij wil uiteraard zelf keeper zijn.

Naar aanleiding van deze situatie kan Maarten verschillende doelen formuleren. Als hij het vooral belangrijk vindt om zelf keeper te zijn, kan hij op Simon afstappen, de handschoenen uit zijn handen rukken en hem het doel uit duwen. Maar zulk fysiek agressief gedrag kan natuurlijk negatieve reacties uitlokken bij de andere kinderen. De kans is groot dat zij partij zullen kiezen voor Simon, en dat wil Maarten niet. Maarten kan ook de andere spelers in het oor fluisteren dat Simon eigenlijk helemaal geen goede keeper of voetballer is. Daarop zouden de andere kinderen kunnen beslissen dat Simon niet mee mag doen. Zo kan Maarten keeper zijn, maar blijft zijn positie in de groep ongewijzigd.

Ook het kiezen van een reactie (stap 5) kan invloed hebben op het gebruik van relationele agressie. Relationeel agressieve kinderen evalueren relationeel agressieve reacties vaak positiever dan andere kinderen, waardoor ze dit gedrag ook sneller zullen vertonen. Zoals blijkt, kunnen tekorten of vervormingen in de manier waarop relationeel agressieve kinderen informatie uit hun sociale omgeving verwerken hun gedrag bepalen of in stand houden. Kort samengevat kiezen kinderen waarschijnlijk sneller een relationeel agressieve reactie als:

1. ze probleemsituaties van relationele aard sneller als vijandig interpreteren en hierbij negatieve emoties ontwikkelen;
2. ze wraak willen nemen of andere kinderen willen domineren, maar ze eveneens problemen willen vermijden of hun eigen reputatie in de groep niet willen beschadigen;
3. ze vinden dat relationele agressie een geschikte reactie is.

Observeren en imiteren

De theorie van de sociale informatieverwerking wordt vaak gebruikt om te verklaren welke factoren invloed kunnen hebben op de ontwikkeling van relationele agressie. Binnen deze theorie wordt agressie niet gezien als een instinct, maar als een vorm van gedrag, te vergelijken met elk ander aangeleerd gedrag: agressie wordt geleerd door observatie en imitatie.

Hierbij zijn drie belangrijke modellen van agressief gedrag te onderscheiden. Ten eerste kunnen kinderen het agressieve gedrag van familieleden observeren en imiteren. Ten tweede kan het gedrag in andere microsystemen, zoals de school of de vriendenclub, als voorbeeld dienen voor het agressieve gedrag van kinderen. Ten derde kunnen kinderen agressief gedrag leren van een symbolisch model: een persoon of karakter afgebeeld in de media (televisie, films of computerspelen); via deze kanalen worden voorbeelden van agressief gedrag in uiteenlopende situaties getoond.

Ouders als model

Ouders zijn ontzettend belangrijk voor kinderen. Door de bijzondere en emotionele onderlinge band tussen ouders en kinderen oefenen ze een belangrijke invloed op elkaar uit. De manier waarop ouders zich tegenover elkaar gedragen, kan voor kinderen dan ook een invloedrijk voorbeeld zijn. Zo blijkt dat als ouders fysiek agressief gedrag vertonen ten opzichte van elkaar, hun kinderen sneller geneigd zullen zijn zelf hun toevlucht te nemen tot fysieke agressie. Dit geldt ook voor relationele agressie: kinderen die relationele agressie gebruiken tegenover andere kinderen, hebben vaak hun ouders hetzelfde zien doen. Hieruit kunnen we afleiden dat agressie in de partnerrelatie samenhangt met agressie tussen kinderen. Verder onderzoek is echter noodzakelijk.

Zo weten we dat fysieke agressie tussen de ouders onderling ook relationele agressie kan veroorzaken bij het kind. Het kind neemt dan niet letterlijk het gedrag van zijn ouders over (het kopieert de fysieke agressie niet), maar uit zijn frustraties op een andere manier.

De precieze oorzaken hiervan zijn nog onduidelijk. Niet alleen de partnerrelatie is belangrijk, ook de opvoedingsstijl heeft invloed op het (al dan niet agressieve) gedrag van kinderen. Met hun manier van opvoeden spiegelen ouders hun kind een model van sociaal gedrag voor. Ze tonen hoe ze het gedrag van anderen (in dit geval hun kind) proberen te beïnvloeden of te controleren. Denk bijvoorbeeld aan de verschillende manieren van belonen en straffen die ouders kunnen gebruiken:

- *Als mijn kind zich niet gedraagt zoals het hoort, dan begin ik te roepen.*
- *Als mijn kind zich goed heeft gedragen, dan geef ik hem een complimentje, een knuffel of een schouderklopje.*
- *Als mijn kind iets heeft gedaan wat niet mag, komt het wel voor dat ik daar geen straf laat op volgen.*

- *Ik geef mijn kind een pak slaag als hij/zij zich misdraagt.*
- *Als mijn kind iets heeft gedaan wat niet mag, straf ik door hem iets leuks te ontnemen.*
- *Ik geef mijn kind een cadeautje als beloning bij goed gedrag.*

Het zal je niet verwonderen dat kinderen die telkens een pak slaag krijgen op een heel andere manier met sociale relaties omgaan dan kinderen bij wie goed gedrag wordt beloond. Volgens de sociale leertheorie kunnen kinderen agressief gedrag ook uit de opvoedingsrelatie leren en overnemen. Dit betekent dat het agressieve gedrag van kinderen overeen kan stemmen met specifiek ouderlijk handelen. Zo is er een duidelijk verband tussen het fysiek straffen door ouders en fysieke agressie door kinderen.

Maar welke aspecten van ouderlijk handelen kunnen dan als model dienen voor relationele agressie? Volgens sommigen heeft het gebruik van psychologische controle binnen de opvoedingsrelatie grote invloed. Deze vorm van ouderlijke controle is een manipulatieve, indringende en subtiele opvoedingsstrategie, waarbij ouders de band met hun kind uitbuiten of misbruiken, erg emotioneel geladen kritiek geven op hun kind of buitensporige persoonlijke controle over de psychologische wereld van hun kind uitoefenen. Een moeder die onvriendelijk is tegen haar zoon als hij het niet met haar eens is, is een voorbeeld van zulke ouderlijke controle. Ouders hebben dan geen oog voor de behoeften van hun kind, maar proberen hun eigen normen, waarden en behoeften op te dringen. Daardoor geven ze bijvoorbeeld de boodschap dat ze de persoonlijke mening van hun kind niet belangrijk vinden en dat de ouderlijke liefde niet onvoorwaardelijk is, en zo leren kinderen van de relatie met hun ouders dat het manipuleren en uitbuiten van hechte relaties een doeltreffende manier is om bepaalde doelen te bereiken. Zo is een ouder die dreigt dat hij niet meer van zijn kind zal houden als het niet doet wat hij verwacht, nauw verwant aan een kind dat een vriendje de boodschap geeft dat de vriendschap verbroken zal worden als het vriendje niet doet wat het kind vraagt.

Het verband tussen ouderlijke psychologische controle en relationele agressie bij kinderen is in diverse studies te vinden. Ook in het Vlaamse onderzoek naar opvoeding en relationele agressie zien we dat als ouders psychologische controle op hun kinderen uitoefenen, zij vaker relationele agressie vertonen. Opvallend is dat deze kinderen niet meer fysieke agressie vertonen. En omgekeerd hangt meer fysiek straffen door ouders samen met meer fysieke agressie door kinderen, maar niet met meer relationele agressie. Kinderen spiegelen zich dus als het ware aan het ouderlijk handelen. Dit leerproces loopt echter niet in één richting. Er is sprake van een wederkerig verband, maar alleen bij moeders. Kinderen worden beïnvloed door het ouderlijk gedrag, maar moeders worden ook beïnvloed door het relationeel agressieve gedrag van hun kinderen. Dit betekent dat meer relationele agressie door kinderen ook samenhangt met meer psychologische controle door moeders. Moeders spiegelen zich dus blijkbaar ook aan het gedrag van hun kinderen.

Broers en zussen als model

In een gezin met meerdere kinderen brengt een kind meestal ook veel tijd door met broers en zussen. Bovendien vormen broers en zussen voor vele kinderen de eerste interactiepartners van ongeveer dezelfde leeftijd. Oudere broers en zussen zouden dus model kunnen staan voor het sociale gedrag van hun jongere broers en zussen.

Een Amerikaans onderzoek vroeg aan een groep kinderen: ‘Wat doet jouw broer of zus wanneer hij/zij jou wil kwetsen?’ De antwoorden tonen aan dat relationele agressie tussen broers en zussen heel vaak voorkomt:

- *Mijn broer doet thuis iets en laat mijn ouders geloven dat ik het heb gedaan, zodat ik in de problemen kom.*

- *Mijn zus pikt mijn vriendinnetje af en laat mij dan niet meer met haar spelen.*
- *Mijn broer roddelt achter mijn rug om tegen mijn vrienden.*
- *Mijn zus vertelt onze moeder over dingen die ik niet mag doen, zodat ze boos op mij wordt.*

Bovendien is er sprake van een voorspellend karakter: als een oudere broer of zus relationele agressie gebruikt, zal zijn jongere broer of zus op termijn hetzelfde soort gedrag gaan vertonen. Net zoals kinderen het gedrag van hun ouders overnemen, kopiëren ze dus ook het gedrag van hun broers en zussen. Dit gedrag zullen ze niet alleen maar vertonen in het gezin, maar ook in andere situaties, bijvoorbeeld op school.

De sociale groep als model

Niet alleen het gezin speelt een belangrijke rol, maar ook de sociale groep waarin kinderen vertoeven kan het gebruik van relationele agressie in de hand werken. In een klas waarin veel kinderen relationele agressie gebruiken, zal een kind eerder geneigd zijn zich ook zo te gedragen. Vooral kinderen die in het verleden weinig relationele agressie gebruikten, passen hun gedrag aan de norm in de klas aan. Opvallend is dat het omgekeerde niet geldt: kinderen die in het verleden vaak relationele agressie gebruikten en in een klas terechtkomen waar relationele agressie weinig tot niet voorkomt, blijven toch relationeel agressief gedrag vertonen. Dit geeft aan dat het niet makkelijk is om een kind relationele agressie 'af te leren', en dat een spreekwoordelijke 'rotte appel' voldoende is om een hele klas aan te steken. Om deze vicieuze cirkel te doorbreken is het dan ook erg belangrijk dat leerkrachten relationele agressie in de klas bespreekbaar maken en een klimaat stimuleren waarbinnen dat gedrag niet getolereerd wordt. Zo kunnen ze het gebruik van relationele agressie in een klas ontmoedigen, waardoor kinderen die in het verleden weinig relationele agressie gebruikten ook in de toekomst – ondanks de eventuele sociale druk – niet in dit gedrag zullen vervallen.

Televisiepersonages als model

Relationele agressie komt niet alleen in het dagelijkse leven voor, maar ook op televisie. Adolescenten worden zelfs tien keer vaker met relationele agressie op televisie geconfronteerd dan in het dagelijkse leven. Op Britse televisiezenders komt relationele agressie voor in 92 procent van de programma's die populair zijn bij adolescenten, terwijl 47 procent van de programma's fysieke agressie bevat. Denk maar aan een serie zoals *Gossip Girl*, waarin het leven van een aantal rijke tieners draait om de nieuwste roddels die via websites en sms'jes worden verspreid. Een ander voorbeeld is de film *Cruel Intentions*, waarin de hoofdpersonages stiekem de relaties van hun vrienden manipuleren om onrust te zaaien binnen de vriendengroep.

Een belangrijke vraag is uiteraard of relationele agressie op tv ook invloed heeft op het werkelijke gedrag van kinderen. Relationeel agressieve meisjes blijken vaker naar programma's te kijken die relationele agressie bevatten dan andere meisjes. Dit kan erop wijzen dat kijken naar relationele agressie op tv kan leiden tot frequenter gebruik van relationele agressie in het dagelijkse leven.

Hoe kunnen kinderen relationele agressie leren door naar soortgelijk gedrag op tv te kijken? Wanneer een kind naar relationeel gedrag op tv kijkt, slaat het een soort script over dit gedrag op in het geheugen. Dit aangeleerde script kan later gebruikt worden als een leidraad voor het gedrag in het echte leven. Het kind slaat het bij wijze van spreken op in zijn database als een mogelijke reactie op sociale prikkels. Hoe meer scripts over relationele agressie het kind te zien krijgt, hoe groter de kans dat het dit gedrag ook werkelijk zal gebruiken.

Bijzonder gevaarlijk is dat relationele agressie op tv vaak afgeschilderd wordt als gerechtvaardigd, succesvol en gebruikt door aantrekkelijke personages. Omdat relationele agressie op deze manier wordt weergegeven, raken (jonge) kijkers er makkelijker van overtuigd dat zulk gedrag een goede manier is om problemen aan te pakken.

Het ook belangrijk om te onthouden dat relationele agressie op tv waarschijnlijk pas invloed heeft op agressief gedrag als het kind dat ernaar kijkt, geïnteresseerd is in de acties van het televisiepersonage, als zo'n gedrag goedgekeurd wordt in de omgeving van het kind, en als het televisiepersonage aantrekkelijk en succesvol is.

Lien en haar moeder zijn trouwe kijkers van Mooi en Meedogenloos *en ze leven helemaal mee met de intriges die zich binnen de serie afspelen tussen de succesvolle en aantrekkelijke personages. Maar uiteraard beseft Lien dat dit slechts fictie is... In de echte wereld benadrukt Liens moeder ook steeds dat het belangrijk is om behulpzaam te zijn, om vrienden te respecteren, om eerlijk te zijn, ... kortom om net geen relationeel agressief gedrag te stellen. In dit plaatje is het onwaarschijnlijk dat Lien het relationeel agressieve gedrag uit de soapserie ook daadwerkelijk gaat gebruiken in haar dagelijkse leven.*

Het belang van een goede gehechtheid

Gehechtheid is de duurzame affectieve relatie tussen een kind en één of meer opvoeders. Volgens de hechtingstheorie vormt deze relatie de basis voor de verdere ontwikkeling van een kind. Alle kinderen hebben een gehechtheidsrelatie met hun opvoeders, maar niet ieder kind heeft zo'n veilige band. Kinderen met een veilige gehechtheid ontwikkelen een positief beeld van hun verzorgers en van zichzelf. Kinderen met een onveilige gehechtheid zullen eerder een negatief beeld van de verzorgers en zichzelf ontwikkelen. De onveilige gehechtheid kan leiden tot allerlei problemen in het latere leven, zoals leerproblemen, een laag gevoel van eigenwaarde en problemen met het aangaan van relaties. De onveilige gehechtheid met opvoeders wordt meegenomen in latere relaties met anderen, zoals vriendschapsrelaties en relaties met leeftijdgenoten.

Sommige onveilig gehechte kinderen worstelen voortdurend met de angst door anderen verworpen te worden. Hierdoor zullen ze minder vaak openlijk agressief gedrag naar anderen vertonen, maar eerder kiezen voor indirectere en subtielere manieren om agressie te uiten, zoals relationeel agressief gedrag. Bij openlijk agressief gedrag is de kans immers groot dat ze voor hun daden gestraft worden en de sympathie van ouders, leerkrachten of anderen verliezen.

Bovendien hebben sommige kinderen met een onveilige gehechtheid meer behoefte aan aandacht van anderen. Het is mogelijk dat ze daarom relaties met anderen manipuleren om zich zo van voldoende aandacht te verzekeren. Zo zullen ze bijvoorbeeld vrienden ontmoedigen om met andere kinderen om te gaan om hun eigen positie te versterken.

Er is voorlopig nog weinig bekend over het mogelijke verband tussen gehechtheid en relationele agressie. Wel blijkt dat relationeel agressieve kleuters een grotere kans hebben op een onveilige gehechtheid met hun ouders. Ook in het Vlaamse onderzoek naar opvoeding en relationele agressie werd een samenhang gevonden tussen gehechtheid en relationele agressie. Kinderen met een onveilige gehechtheid met de moeder vertonen vaker relationele agressie in hun relaties met andere kinderen. Ook blijkt dat dochters die een minder veilige gehechtheid met hun vader hebben volgens de leerkrachten vaker relationele agressie gebruiken. Een veilige gehechtheid met de moeder kan echter een buffer vormen voor de negatieve invloed van de onveilige gehechtheid met vader. Dit wil zeggen dat een veilige gehechtheid met de moeder een onveilige gehechtheid met de vader kan compenseren, zodat het kind niet in relationele agressie vervalt.

Veilig of onveilig gehecht?
In de meeste gevallen verloopt het hechtingsproces tussen ouders en kinderen goed. Een *veilig* gehecht kind durft de omgeving te ontdekken en zoekt in een angstige situatie de veiligheid op bij de ouders. De ouders reageren op een gepaste manier op de signalen van het kind (bijvoorbeeld huilen of vastklampen) en zijn er voor het kind wanneer het kind hen nodig heeft, maar tegelijkertijd fungeren ze als een veilige uitvalsbasis van waaruit het kind de omgeving kan verkennen. De ouders geven het kind dus ook de ruimte om de wereld te verkennen.

Maar in sommige gevallen verloopt het hechtingsproces niet optimaal. Dit kan komen door problemen bij het kind (bijvoorbeeld bij een kind met een gesloten karakter), maar ook door problemen binnen het gezin (bijvoorbeeld bij emotionele problemen bij de ouder). Ook door omstandigheden buiten het gezin kan de gehechtheid verstoord worden (bijvoorbeeld wanneer een ziek kind een lange tijd in het ziekenhuis moet blijven en dus gescheiden wordt van de ouders).

We zien dan dat het kind een *onveilige* gehechtheid ontwikkelt, wat zich kan uiten in extreem aan de ouders hangen (vermijdende gehechtheid), maar ook in juist geen toenadering zoeken tot de ouders (ambivalente gehechtheid).

Populariteit binnen de sociale groep

Naarmate kinderen ouder worden, komen ze dagelijks in contact met leeftijdgenootjes. Voor kinderen is het dan ook erg belangrijk om binnen de sociale groep populair te zijn. Populariteit kan echter verschillende invullingen hebben. We maken onderscheid tussen sociometrische populariteit en waargenomen populariteit.

Sociometrische populariteit of *sociometrische status* weerspiegelt de mate waarin een kind al dan niet geliefd wordt door andere kinderen. Sociometrische status wordt meestal gemeten door aan leden van een sociale groep (zoals een klas) te vragen: 'Welke drie kinderen vind je het leukst?' en: 'Welke drie kinderen vind je het minst leuk?' Voor ieder kind wordt dan opgeteld hoe vaak het genoemd wordt als 'meest geliefd' (sociale aanvaarding) en 'minst geliefd' (sociale verwerping).

De *waargenomen populariteit* geeft aan welke kinderen *cool*, dominant of opvallend gevonden worden binnen de sociale groep. Kinderen die aan de top van sociale hiërarchie staan, zijn het populairst; degenen die zich onderaan op de sociale ladder bevinden, zijn het minst populair. Waargenomen populariteit wordt meestal gemeten door aan leden van een sociale groep te vragen: 'Welke drie kinderen zijn het meest populair zijn?' en: 'Welke drie kinderen zijn het minst populair?' Ook hier worden de keren opgeteld dat kinderen genoemd worden.

Niet alleen worden sociometrische en waargenomen populariteit op een andere manier gemeten, maar ze hebben ook een verschillende onderliggende betekenis. Sociometrische populariteit verwijst eerder naar het sociale functioneren van een kind, of met andere woorden: de mate waarin een kind aanvaard of geliefd is binnen een sociale groep. In zekere zin gaat het ook over de mate waarin een kind door anderen als een vriendje of vriendinnetje wordt genoemd. Waargenomen populariteit daarentegen brengt in kaart in welke mate een kind sociale prestige of invloed heeft binnen de groep.

Het onderscheid tussen sociometrische en waargenomen populariteit is niet puur theoretisch. Uit onderzoek blijkt bijvoorbeeld dat er maar een matig verband bestaat tussen sociometrische en waargenomen populariteit. Kinderen die door velen het meest geliefd worden (sociometrische populariteit), hebben vaak een duidelijke invloed binnen een sociale groep (waargenomen populariteit) en omgekeerd. Maar dat is zeker niet altijd het geval! Kinderen kunnen erg geliefd zijn maar toch weinig invloed hebben binnen de groep. En omgekeerd: kinderen kunnen een duidelijke invloed uitoefenen binnen de groep maar niet het meest geliefd zijn.

Dit onderscheid tussen sociometrische en waargenomen populariteit kan belangrijk zijn voor het ontstaan van relationele agressie. Zo blijkt er een verband te bestaan tussen het gebruik van relationele agressie en sociale verwerping door anderen (een lage sociometrische populariteit). Dit zou kunnen betekenen dat kinderen die relationele agressie vertonen, door andere kinderen verworpen worden. Kinderen die anderen opzettelijk uitsluiten, zijn over het algemeen immers minder geliefd door andere kinderen. Relationele agressie is dan de oorzaak van sociale verwerping. Maar omgekeerd is ook mogelijk dat kinderen die verworpen worden of zich verworpen voelen als reactie relationele agressie gebruiken. Kinderen die minder populair zijn bij hun klasgenootjes kunnen bijvoorbeeld gemene roddels over hen verspreiden om wraak te nemen. Het Vlaamse onderzoek naar opvoeding en relationele agressie wees uit dat sociale verwerping een risicofactor is voor relationele agressie. Kinderen die binnen de klas minder geliefd waren, gebruikten tijdens het volgende schooljaar meer relationele agressie.

Vreemd genoeg is er ook een verband tussen relationele agressie en waargenomen populariteit. Erg populaire kinderen maken zich niet zelden schuldig aan relationele agressie. Dit klinkt misschien een beetje vreemd, maar er is een eenvoudige verklaring voor. Kinderen die sociale prestige binnen de groep hebben, kunnen relaties het makkelijkst manipuleren, juist omdat ze veel aanzien en invloed hebben. Daarom wordt weleens gezegd dat waargenomen populariteit een voorwaarde is om relationele agressie op een doeltreffende manier binnen een groep te gebruiken. In het Vlaamse onderzoek naar opvoeding en relationele agressie werd in elk geval ook een verband gevonden tussen waargenomen popularititeit en relationele agressie, al is dit zeker niet de belangrijkste factor in het ontstaan van relationele agressie.

Onverschillige houding van volwassenen

Fysieke agressie wordt door veel volwassenen als afwijkend gedrag beschouwd en sterk afgekeurd. Vechten hoort niet, een kind dat een klasgenootje een blauw oog slaat, krijgt dan ook meestal een strenge straf. Bij relationele agressie ligt dit vaak anders. Veel volwassenen vinden deze vorm van agressie vrij onschuldig en denken dat het gedrag wel verdwijnt naarmate kinderen ouder worden. Hierdoor kunnen volwassenen een onverschillige houding ten aanzien van relationeel agressief gedrag ontwikkelen. Ze zullen minder snel ingrijpen of begrip tonen voor de slachtoffers. Door deze passieve houding kunnen slachtoffers van relationele agressie zich onbegrepen, onveilig en ongelukkig gaan voelen op school. Bovendien geef je relationeel agressieve kinderen en jongeren ook ongewild de boodschap mee dat zulk gedrag op de school getolereerd en zelfs toegestaan wordt.

Met dit boek willen we bijdragen aan het vergroten van de kennis over relationele agressie bij ouders, leerkrachten en directies. Een beter begrip van de kenmerken en gevolgen van relationele agressie kan niet alleen helpen om het te herkennen, maar ook om mythes over relationele agressie (bijvoorbeeld het is een exclusief vrouwelijke vorm van agressie, het is slechts een fase in de ontwikkeling waar kinderen vanzelf uitgroeien, het heeft geen echt negatieve gevolgen voor de ontwikkeling) uit de wereld te helpen. Als volwassenen inzien dat relationeel agressief gedrag een vorm van agressie is die even serieus moet worden genomen als slaan en schelden, zal het minder worden getolereerd en sneller aangepakt.

Maatschappelijke en culturele factoren

Het gebruik van relationele agressie blijkt ook samen te hangen met de sociaaleconomische status van het gezin: de plaats die het inneemt op de maatschappelijke ladder. Deze plaats wordt bepaald aan de hand van het opleidingsniveau, het beroep en/of het inkomen van de ouders. Bij een lage sociaaleconomische status denken we aan mensen met alleen basisonderwijs en ongeschoolde en semigeschoolde arbeiders, bij een hoge sociaaleconomische status aan mensen met een diploma van het hoger of universitair onderwijs, zelfstandigen of hogere leidinggevenden. Kinderen uit de hogere sociale klasse gebruiken meer relationele agressie dan kinderen uit gezinnen met een lage sociaaleconomische status. Het is wel belangrijk om hierbij rekening te houden met culturele aspecten: kinderen uit de lagere sociale klasse behoren ook vaker tot een etnische minderheidsgroep. Er moet nog heel wat werk worden verzet voordat we de precieze invloed van maatschappelijke en culturele factoren op het ontstaan van relationele agressie kunnen verklaren.

Samenspel van factoren

Autorijden is een ingewikkeld proces: je hebt zintuigen, spieren, zenuwen die de spieren prikkelen, handelingen die gecoördineerd moeten worden en ergens een soort besef van welke kant je uit wilt en hoe snel. Maar tegelijk moet je rekening houden met de omgeving: Zit je in de juiste versnelling? Ga je vooruit? Kun je de weg op rijden of zijn er tegenliggers?

Zoals je bij autorijden ook niet kunt spreken over één factor die allesbepalend is, kun je dat bij relationeel agressief gedrag ook niet. Het ontstaan en in stand houden van relationele agressie is een complex proces waarbij zowel biologische als omgevingsfactoren een rol spelen. Waarom iemand relationeel agressief gedrag vertoont, is het gevolg van een samenspel van aanleg, opvoeding, persoonlijkheid, cultuur, zelfbeeld, de relatie met anderen, de omstandigheden, enzovoort. Er is veel bekend over de oorzaken, maar de kennis over het ontstaan en in stand houden van relationele agressie zal in de toekomst zeker nog worden uitgebreid.

Het blijft een feit dat de ene mens de andere niet is en dat verschillende mensen zich in dezelfde omstandigheden anders kunnen gedragen. Niet ieder kind zal dreigen een goede vriendschap te verbreken om iets van zijn beste vriend gedaan te krijgen. Genoemde factoren hebben dus slechts een indicatieve, en zeker geen voorspellende waarde.

Kort samengevat

- ✓ Er zijn verschillende visies over het ontstaan van agressie.
- ✓ Relationele agressie is het gevolg van een samenspel van biologische en omgevingsfactoren:
  - o tekorten en vervormingen in het sociale informatieverwerkingsproces
  - o observatie en imitatie van modellen in het gezin, de sociale groep en de media
  - o onveilige gehechtheid met de opvoeders
  - o sociale verwerping en waargenomen populariteit
  - o sociometrische status en etniciteit
- ✓ De kennis over het ontstaan en in stand houden van relationele agressie moet nog worden uitgebreid.

4 •• Wat zijn de gevolgen?

De wekker gaat, een nieuwe schooldag staat voor de deur. Janneke wil het liefst in bed blijven liggen, ze heeft geen zin in school. Haar maag ligt in een knoop en ze voelt zich misselijk. Alleen de gedachte al dat ze straks Lies en Nina zal zien, doet haar ineenkrimpen. Ze heeft ook een wiskundetoets en ze weet nu al dat ze daar een onvoldoende voor zal halen. Haar broer is de slimmerik van de familie, maar zij niet. Zij is gewoon dom.

Sanne voelt zich waardeloos. Ze denkt dat haar beste vriendin Lara heeft afgesproken met Suzanne, een ander meisje uit de klas, om dit weekend samen uit te gaan. Sanne is niet meegevraagd. Wacht maar, denkt Sanne, ik zal Lara wel krijgen, en ze stuurt een sms'je naar Suzanne waarin staat dat Lara verliefd is op de vriend van Suzanne en dat Lara daarom contact zoekt met Suzanne. Na het versturen van dit berichtje kruipt Sanne onder de dekens en ze begint te huilen. Als haar moeder haar iets later komt wekken om naar school te gaan, scheldt Sanne haar moeder de huid vol.

Niki heeft helemaal geen zin om vandaag naar school te gaan. Ze haat school. Ze wil graag van school veranderen en naar dezelfde school gaan als haar vriendin Rozemarijn, want daar wordt veel minder gepest en er zijn minder kliekjes. Niki voelt zich eigenlijk helemaal niet goed en niet veilig op haar huidige school.

Relationele agressie heeft negatieve gevolgen voor het slachtoffer, de dader én de maatschappij. Als we het centrale element uit de definitie van agressie even opnieuw bekijken, namelijk 'gedrag dat de intentie heeft anderen pijn te doen of te schaden', zien we meteen dat er sprake is van lijden bij het slachtoffer. Daarnaast heeft onderzoek uitgewezen dat niet alleen het slachtoffer, maar ook de dader negatieve gevolgen kan ervaren. En op grotere schaal bekeken heeft agressie negatieve gevolgen voor het hele schoolklimaat.

Voor het slachtoffer

Slachtoffers van relationele agressie ervaren beduidend meer psychologische problemen dan kinderen die geen slachtoffer zijn. Deze problemen kunnen we onderscheiden in externaliserend en internaliserend gedrag:

- *externaliserend gedrag:* probleemgedrag dat naar buiten is gericht, zoals driftbuien, agressie en impulsief gedrag;
- *internaliserend gedrag:* probleemgedrag dat naar binnen is gericht, zoals (faal)angst, eenzaamheid of een laag zelfbeeld.

Kinderen die vaak het slachtoffer zijn van relationeel agressief gedrag en voortdurend blootgesteld worden aan een vijandige omgeving, lopen vooral kans op internaliserende problemen, zoals depressie en angst. En zo komen ze in een vicieuze cirkel, want angstige kinderen zijn makkelijke slachtoffers voor pesters, waardoor ze nog vaker het mikpunt worden van agressief gedrag. Het is dus belangrijk om deze cirkel in een vroeg stadium te doorbreken.

Negatieve ervaringen, zoals slachtoffer zijn van pesterijen door leeftijdgenoten, kunnen een kind het gevoel geven dat hij er niet bij hoort, waardoor hij zichzelf en anderen negatief gaat beoordelen. Dit evaluatieproces is mogelijk een van de redenen waardoor een slachtoffer aanpassingsproblemen kan ontwikkelen. Kinderen die op basis van slechte ervaringen met leeftijdgenoten negatieve conclusies over zichzelf trekken (zoals 'niemand is aardig tegen mij, ik moet wel slecht zijn'), kunnen internaliserende problemen vertonen (ze voelen zich depressief of denken dat ze het verdienen slecht behandeld te worden). Ze kunnen zich door een gebrek aan zelfvertrouwen in sociale situaties ook teruggetrokken of onderdanig gaan gedragen. Als kinderen negatieve conclusies trekken over hun leeftijdgenoten (zoals 'alle andere kinderen zijn gemeen'), kunnen ze externaliserende problemen vertonen. Ze kunnen hun woede moeilijk controleren en gaan zich impulsief gedragen. Soms gaan ze ook zelf relationele agressie gebruiken om wraak te nemen; dit zagen we al in hoofdstuk 1.

Dit zijn allemaal signalen voor ernstige ontwikkelingsproblemen. Door het probleemgedrag van het kind kan het zijn dat hij minder aantrekkelijk wordt gevonden als speelkameraadje en blijft het moeilijk om aansluiting te vinden bij zijn leeftijdgenootjes. Hierdoor kunnen op de langere termijn serieuze aanpassingsproblemen ontstaan, zoals delinquent gedrag, slecht presteren op school, tienerzwangerschap en psychologische problemen.

Het is interessant om te kijken hoe slachtoffers met daden van agressie omgaan. Kinderen gebruiken verschillende copingstrategieën om met stressvolle gebeurtenissen om te gaan. Coping kan omschreven worden als een reactie in de vorm van gedrag of een handeling waardoor je de stress probeert te verminderen of zelfs weg te werken (soms ook wel probleemoplossingsvaardigheden genoemd). Zo kun je het probleem proberen aan te pakken door verandering te brengen in de situatie die de stress veroorzaakt en dus echt probleemgericht te werk gaan (zo kan een slachtoffer van relationele agressie de leerkracht op de hoogte brengen van de pesterijen). Maar je kunt ook proberen het probleem op te lossen door het te negeren of te ontkennen, met andere woorden: door het te ontvluchten (we noemen dit een vermijdingsstrategie). In dat geval weten ouders en leerkrachten vaak niet dat het kind slachtoffer is van agressie. Zeker in het geval van relationele agressie, want dit is precies een subtiele vorm van agressie en dus weinig zichtbaar. Bovendien speelt een subjectieve component mee: wat de een als relationele agressie zal zien, zal door de ander helemaal niet zo worden opgevat. Zo zal het ene kind er geen probleem mee hebben dat er een onware roddel op school circuleert, terwijl een ander kind zich hierdoor helemaal uit het lood geslagen zal voelen. Dit maakt dat een aantal kinderen niet vlug geneigd zal zijn om volwassenen te vertellen dat ze het slachtoffer zijn van relationele agressie. Ze zullen eerder de schuld bij zichzelf leggen of anderen gaan mijden om zich te beschermen. Dit geeft dan aanleiding tot de internaliserende problematiek.

Voor de dader

Tijdens de pauze spelen de jongens altijd een partijtje voetbal. Jonas sluit Rutger uit bij het spelen omdat hij weet dat Rutger beter speelt dan hijzelf. Hierdoor blijft hij de ster van de school.

Op korte termijn kan het vertonen van relationele agressie de dader iets positiefs opleveren: ontzag bij vrienden, aandacht of een gevoel van macht. Op langere termijn blijkt echter dat agressie ook voor daders vooral negatieve gevolgen heeft.

Hoewel relationeel agressieve kinderen hun agressie vaak niet zo openlijk tonen als kinderen die fysieke en/of verbale agressie gebruiken, krijgen ze toch te maken met dezelfde negatieve gevolgen. Zo kunnen ze zich schuldig voelen na het agressie-incident, waardoor hun zelfbeeld negatief wordt beïnvloed. Als ze commentaar krijgen, is dit meestal uitsluitend gericht op het agressieve gedrag en niet op het achterliggende motief. Daardoor voelen ze zich onbegrepen. Ernstige of herhaaldelijke agressie verhoogt ook de kans dat de relationele agressie wordt opgemerkt en dat er negatieve reacties uit de omgeving volgen.

Onderzoek naar de effecten van relationele agressie heeft zich voornamelijk toegespitst op de terreinen waarop daders van relationele agressie problemen vertonen:

1. sociale status (het aanzien dat iemand verwerft en meedraagt in de sociale groep, wordt iemand 'leuk' gevonden?);
2. schoolprestaties (goede cijfers behalen);
3. psychosociale aanpassing (psychologische of sociale problemen in het dagelijks leven).

1. Sociale status

Als we naar de relatie tussen relationele agressie en sociale status kijken, zien we tegenstrijdige resultaten. Zo tonen sommige studies aan dat relationeel agressieve kinderen vaak afgewezen en verworpen worden door hun leeftijdgenootjes. Ander onderzoek toont juist aan dat andere kinderen tegen relationeel agressieve kinderen opkijken. Deze bevindingen wijzen erop dat de relatie tussen relationele agressie en sociale status erg complex is. Het feit dat relationeel agressieve kinderen vaak op verschillende manieren worden bekeken, heeft te maken met het feit dat klasgenoten die het slachtoffer zijn van hun relationele agressie hen doorgaans erg gemeen vinden, maar dat klasgenoten die hieraan ontsnappen hen wel erg leuk vinden. Zo zullen kinderen die hoge scores krijgen op peernominatie-instrumenten (met andere woorden: kinderen die volgens hun leeftijdgenootjes hoog scoren op relationele agressie), vaak niet geliefd zijn bij hun klasgenootjes. Anderzijds veronderstelt het uitoefenen van sociale manipulatie een zekere macht. Je moet immers genoeg aanzien in de groep hebben om invloed te kunnen uitoefenen. Dit zou de tegenstrijdige onderzoeksresultaten kunnen verklaren.

2. *Schoolprestaties*
   Sommige onderzoekers menen dat de mentale kracht en energie die kinderen nodig hebben om anderen te manipuleren, uit te sluiten en te negeren de daders van relationele agressie zou kunnen afleiden van hun schoolwerk en op die manier zou kunnen zorgen voor slechtere resultaten. Andere onderzoekers stellen dat juist omdat relationele agressie een zekere mate van intelligentie vereist (omdat het subtiel en complex gedrag is), relationeel agressieve kinderen het goed zullen doen op school.

3. *Psychosociale aanpassing*
   Verder vertonen relationeel agressieve kinderen meer sociaal en emotioneel onaangepast gedrag. Ze geven vaker dan hun niet-agressieve leeftijdgenootjes aan dat ze zich eenzamer, depressiever en geïsoleerder voelen. In tegenstelling tot fysiek/verbaal agressieve kinderen, die meer externaliserende problemen vertonen,

vertonen relationeel agressieve kinderen zowel internaliserend als externaliserend probleemgedrag (dus zowel eenzaamheid, depressie en isolatie als driftbuien en gedragsproblemen).

Niet alle studies komen tot deze conclusies, en er heerst nog veel onwetendheid over de mogelijke negatieve gevolgen voor relationeel agressieve kinderen. Maar toch kunnen we concluderen dat het aanleren van prosociale en sociaal aangepaste alternatieven voor relationeel agressief gedrag voor de daders alleen maar positief kan uitwerken.

Voor het schoolklimaat

Relationele agressie verziekt het klas- en schoolklimaat, versterkt het gevoel van onveiligheid en heeft invloed op het hele leerklimaat. Al laat relationele agressie geen blauwe plekken achter, het heeft absoluut invloed op hoe je je op school voelt en gedraagt. Roddels zorgen ervoor dat kinderen zich niet op hun gemak voelen en niet graag naar school gaan. Langdurige pesterijen (van welke aard ook) zijn er vaak de oorzaak van dat de veiligheid van een school plotseling ter discussie staat. Kinderen hebben op school behoefte aan fysieke en emotionele veiligheid. Emotionele veiligheid betekent dat je jezelf kunt zijn, dat je kwetsbaar mag zijn, dat je hulp kunt vragen en dat je ondersteund wordt. Relationele agressie beïnvloedt deze emotionele veiligheid negatief en verziekt de hele schoolsfeer. Leerlingen voelen zich immers minder veilig door roddels en manipulatieve spelletjes.

Een langetermijnperspectief

De problemen waar daders en slachtoffers van relationele agressie tijdens hun kindertijd en adolescentie mee geconfronteerd worden, leggen de basis voor mogelijke mentale problemen en relatieproblemen tijdens de volwassenheid. Jongens en meisjes die als kind en puber relationeel agressief gedrag vertonen of ondergaan, blijven hier op latere leeftijd problemen van ondervinden. Sommige onderzoekers concluderen zelfs dat meisjes op latere leeftijd ernstigere problemen ondervinden dan jongens omdat zij meer belang hechten aan sociale interacties dan jongens (zie ook hoofdstuk 2).

Voor het slachtoffer heeft agressie vaak invloed op de rest van zijn leven. Deze gevolgen mogen niet gebagatelliseerd worden. Onderzoek toont aan dat de gevolgen van herhaaldelijke pesterijen voor een jong slachtoffer sterk lijken op die van kindermishandeling. Denk aan depressiviteit, (faal)angst, bedplassen, slaapproblemen, gespannenheid, vermoeidheid, buikpijn, onzekerheid, een negatief zelfbeeld, nachtmerries, eenzaamheid en automutilatie (zoals snij- en brandwonden maken, zichzelf slaan, tegen de muur bonken, te veel eten, gewelddadige relaties aangaan), met (poging tot) zelfmoord als uiterste. Veel slachtoffers van agressie hebben een levenslang trauma. Hun karakter kan bovendien radicaal veranderen: vrolijke, open levensgenieters kunnen veranderen in gesloten, bange muisjes.

Ook daders van relationele agressie kunnen op volwassen leeftijd problemen ondervinden. Wanneer agressieve kinderen opgroeien, missen ze vaak de sociale en emotionele vaardigheden die nodig zijn om zich in de maatschappij te handhaven. Ze zijn gewend om anderen te kleineren of te intimideren om hun doel te bereiken of soms zelfs voor hun plezier. Uit onderzoek blijkt dat pesters later meer kans hebben op asociaal en crimineel gedrag. In eerste instantie kan het agressieve gedrag de daders voordelen opleveren: ze krijgen meelopers op hun hand en voelen zich machtig. Ze zullen dan ook niet snel stoppen met het pesten en bedreigen. Hoe langer dit doorgaat, hoe meer invloed het krijgt op de karaktervorming van de dader. Pesten en agressief gedrag worden steeds vanzelfsprekender. Daardoor lijkt het gebruik van agressie voor daders een eenvoudig antwoord bij conflicten, irritaties en gevoelens van onveiligheid. Als relationele agressie niet in een vroeg stadium wordt aangepakt, hebben daders later vaak professionele hulp nodig om hun negatieve interactiepatronen om te buigen tot positievere interacties.

Kort samengevat

- ✓ Relationele agressie heeft negatieve gevolgen voor het slachtoffer, de dader en het algemene schoolklimaat.
  - o Het slachtoffer ervaart psychosociale aanpassingsproblemen.
  - o De dader wordt door klasgenootjes vaak verworpen, presteert slecht op school en vertoont psychosociale aanpassingsproblemen.
  - o Het schoolklimaat kan verpest worden door relationele agressie.
- ✓ Op de lange termijn kan het gebruik van relationele agressie de basis leggen voor latere mentale problemen en asociaal gedrag.

5 •• Over de aanpak en preventie van agressie

In de vorige hoofdstukken hebben we uitvoerig stilgestaan bij de oorzaken en gevolgen van relationele agressie. Het is intussen duidelijk dat relationele agressie levenslange gevolgen heeft, zowel voor slachtoffers als voor daders. Ook blijkt uit onderzoek dat je bij relationele agressie vaak in een vicieuze cirkel terechtkomt: daders merken dat hun gedrag vruchten afwerpt en gaan steeds vaker relationeel agressief gedrag vertonen; andere kinderen gaan hun gedrag dan weer kopiëren. Het is dus erg belangrijk om deze vicieuze cirkel in een vroeg stadium te doorbreken en waar mogelijk relationele agressie te voorkomen.

In dit hoofdstuk staan we stil bij de aanpak en de preventie van relationele agressie. Wat kunnen we doen voor kinderen die dit gedrag vaak en in storende mate vertonen? Wat kunnen we doen voor slachtoffers? Bestaat er een gerichte aanpak voor relationele agressie? Zo ja, waaruit bestaat deze dan? Waarin verschilt de aanpak van relationele agressie van die van andere vormen van agressie? En kunnen we relationele agressie voorkomen? We proberen een antwoord op deze vragen te geven voor zover dit mogelijk is en we proberen tevens een wetenschappelijke onderbouwing te geven van waaruit interventies kunnen worden opgezet en getoetst.

Aanpak en preventie gaan hand in hand met kennis

Meestal is er een nauw verband tussen wat we over een bepaald probleem weten en onze mogelijkheden om iets aan dit probleem te doen, het te verhelpen of te voorkomen. Hoe groter de kennis over het probleem is, hoe beter, gerichter en succesvoller we het kunnen aanpakken, zeker wanneer deze kennis ons inzicht geeft in de oorzaken ervan, de risicofactoren die eraan ten grondslag liggen en de factoren die het in stand houden.
Een goed voorbeeld is fysieke agressie. Over dit universele menselijke gedrag, dat we al bij jonge kinderen aantreffen, is veel bekend.

Zo weten we dat fysieke agressie vaker voorkomt bij jongens dan bij meisjes. Geslacht is dus een risicofactor: jongens zijn kwetsbaarder dan meisjes, louter omdat ze jongens zijn. We weten ook dat fysieke agressie tot op zekere hoogte erfelijk is, en dat het in bepaalde families dus vaker voorkomt dan in andere. In sommige gezinnen wordt in de opvoeding vaker geslagen dan in andere. Ouders slaan hun kind om iets af te dwingen, om het te begrenzen, om te zorgen dat het regels respecteert, enzovoort. Bij deze ouders zien we vaak een tolerantere houding tegenover fysieke agressie van hun eigen kinderen.

Dit leert ons dat fysieke agressie een ingewikkeld fenomeen is en dat je – als je het doeltreffend wilt aanpakken – het niet alleen moet hebben over het kind zelf, maar ook over zijn omgeving, en in het bijzonder over het gezin. Zo kan het bijvoorbeeld belangrijk zijn om ouders andere manieren van disciplineren aan te leren en stil te laten staan bij de gedachten en gevoelens die fysieke agressie uitlokken en in stand houden.

Wat de aanpak van fysiek agressieve kinderen betreft, is het van belang te bepalen welke functie het agressieve gedrag voor het kind heeft. Hierbij maken we een onderscheid tussen reactieve en proactieve agressie (zie hoofdstuk 1).

Bij *reactief agressieve kinderen* is het agressieve gedrag een reactie op frustratie, ongemak of bedreiging. Zij overreageren op deze negatieve gevoelens, hebben geleerd dat agressief gedrag op deze momenten loont – ze zijn tijdelijk verlost van die nare gevoelens – en slagen er niet in ander gedrag in te zetten. Bovendien interpreteren ze sociale situaties, zoals in het spel met andere kinderen, vaak op een foute manier. Ze zien wel een bedreiging als die er niet is en interpreteren het gedrag van andere kinderen vaak als vijandig, zelfs als daar geen enkele reden toe is. Als ze bijvoorbeeld in de rij staan en een ander kind geeft een duw, denken ze dat dit kind dit expres doet en reageren ze met agressie op deze 'agressieve' daad. Dat die duw ook weleens een ongelukje zou kunnen zijn, komt niet in hen op. Ze gaan ook niet in gesprek met het kind om de ware toedracht te horen.

Bij *proactief agressieve kinderen* is agressief gedrag een instrument geworden om bepaalde sociale doelen te bereiken, zoals macht, status en aanzien in de groep. Zij hebben geleerd dat het loont om agressie te gebruiken tegenover andere kinderen – en ook tegenover volwassenen! Je krijgt er je zin mee en het schrikt af. Je kunt mensen terroriseren door agressief te zijn. Veel proactief agressieve kinderen gebruiken dit gedrag op een berekenende en strategische manier en het lukt hen wonderwel om thuis, op school en onder leeftijdgenoten situaties naar hun hand te zetten. Sommigen hebben een beperkt empathisch vermogen, leven weinig mee met anderen en zijn koel berekenend in sociale relaties. Wanneer dit gedrag niet tijdig wordt opgemerkt en aangepakt, zal het aan het einde van de basisschoolleeftijd flink escaleren. In de puberteit kunnen ze, onder invloed van leeftijdgenoten, verder ontaarden en dit kan leiden tot delinquent gedrag.

Om proactief agressief gedrag goed aan te pakken, is het belangrijk om het kind anders te leren kijken naar doelen in sociale situaties. Wat zijn behalve macht, status en aanzien nog andere doelen in sociale situaties? Vriendschap en samenwerking bijvoorbeeld. Hoe kunnen deze aantrekkelijk worden gemaakt voor het kind? En hoe kan het kind deze bereiken? Welk niet-agressief gedrag moet het hiervoor laten zien? Hoe kun je dat aanleren en belonen?

Zowel reactieve als proactieve agressie vindt, zo blijkt uit tal van wetenschappelijke studies, een belangrijke voedingsbodem in de gezinssituatie. Daar wordt het gedrag van kinderen voor het eerst beloond of correct bestraft. Wanneer je agressief gedrag beloont, zal het toenemen. Wanneer je het heel vaak beloont, zal het een patroon in de opvoeding worden en uitgroeien tot een communicatiestijl van kinderen. Naarmate kinderen ouder worden, raken patronen en stijlen dieper ingesleten en zal het voor opvoeders moeilijker zijn om hier nog tegenin te gaan.

Het is bedtijd voor de driejarige Seppe. Maar al bij de aankondiging van het moment van slapengaan, begint Seppe hevig te protesteren. Hij wil nog tv kijken, hij wil nog wat drinken, hij is nog niet moe... Mama herhaalt dat het bedtijd is, maar Seppe laat zich op de grond vallen en begint hevig te roepen. Mama geeft toe en Seppe mag nog een kwartiertje langer naar tv kijken. Na een kwartier zegt mama opnieuw dat Seppe moet gaan slapen. Seppe begint hierop mama te slaan en te schoppen. Mama krijgt Seppe dus niet in bed, dus laat ze hem beneden voor tv in slaap vallen en brengt ze hem later naar bed. De volgende ochtend tijdens het ontbijt, wil Seppe zijn boterham niet opeten. Hij gooit de boterham op de grond en hij slaat met zijn vuisten op de tafel. Papa geeft hem dan maar een bord lekkere cornflakes.

De ouders van Seppe hoopten dat hij wel 'manieren' zou leren op school. Maar ook daar hebben de leerkrachten geen gezag over hem. Als Seppe zes jaar oud is, maakt hij voortdurend ruzie met zijn klasgenoten, slaat hij zijn juf als hij zijn zin niet krijgt en maakt hij de andere kinderen bang met zijn gedrag.

Tot slot willen we meegeven dat kinderen tegelijkertijd vormen van reactief en proactief agressief gedrag kunnen vertonen. De ene functie sluit de andere niet per se uit. Dit maakt ingrijpen uiteraard nog moeilijker en verkleint, zeker als het om oudere kinderen en pubers gaat, de kans op succes aanzienlijk.

Hoe zit het met relationele agressie?

Hoe zit het met onze kennis van relationele agressie? Wat weten we over de oorzaken en in stand houdende factoren van dit probleem? In de vorige hoofdstukken lazen we dat het onderzoek op gang begint te komen. Maar wat betekent dit voor de aanpak van relationele agressie? Is deze kennis al vertaald in een concrete aanpak van het probleem? Weten we nog te weinig, heeft het opzetten en uitproberen van manieren om relationele agressie aan te pakken nog te weinig zin en kunnen we daarom maar beter niet ingrijpen?

We kunnen niet zomaar stellen: 'Ach, we wachten nog maar even!' Ten eerste is relationele agressie een wijdverspreid probleem onder kinderen en jongeren; dat toont onderzoek in binnen- en buitenland duidelijk aan. Ten tweede hebben we al een vrij goed inzicht in de gevolgen van relationele agressie voor kinderen die er chronisch het slachtoffer van zijn. Die zijn niet gering en – als we mogen vergelijken – minstens even erg als die van fysieke of verbale agressie. Niets doen is dus geen optie. We kunnen niet wachten tot het onderzoek ver genoeg gevorderd is. We moeten nú ingrijpen, maar uiteraard wel met de nodige voorzichtigheid, want er is nog zo veel wat we niet weten over dit probleem.

Laten we op een rijtje zetten wat we uit het tot dusver verrichte wetenschappelijk onderzoek kunnen halen om onze interventies te sturen.

Relationele agressie doet zich in groepen van kinderen voor
Een heel goed voorbeeld is de klas. Deze leent zich uitermate tot kliekjesvorming, roddelen, chantage en sociale uitsluiting – allemaal vormen van relationele agressie. Als je relationele agressie gericht wilt aanpakken, moet je dat dus op groepsniveau doen. Als de groep niet de focus is of kan zijn, bijvoorbeeld als een slachtoffer geen deel wil uitmaken van groepsbegeleiding of te diep is

gekwetst door het gedrag van groepsgenoten en individuele begeleiding nodig heeft, mag je je toch niet beperken tot alleen een individuele aanpak. Als je het groepskarakter van relationele agressie niet onderkent, zal je aanpak nooit langdurige effecten hebben.

Vanwege het groepskarakter van relationele agressie spelen leerkrachten en ander personeel op scholen een belangrijke rol in de aanpak ervan. Als ouder kun je je eigen kind helpen, maar je hebt veel minder vat op de hele groep.

Relationele agressie is weinig zichtbaar

Relationele agressie vindt vaak stiekem plaats: de dader probeert zijn gedrag verborgen te houden en vaak houden ook slachtoffers alles stil. Bovendien is het subtiel en kan de beleving ervan erg subjectief zijn: wat de een als een daad van agressie beschouwt, vindt de ander misschien verwaarloosbaar. Het gevoel uitgesloten, bedreigd of gemanipuleerd te worden is niet altijd makkelijk te 'objectiveren'. Daarom is het belangrijk om goed te bekijken of je aanpak 'aankomt' en zijn doel bereikt. Ook moet je de gevolgen van je aanpak – bijvoorbeeld het gedrag dat in de plaats komt van de relationele agressie – nauwgezet volgen. De gevolgen ervan kunnen namelijk net zo subtiel en weinig zichtbaar zijn. Goede observatie en vooral zelfrapportage van alle betrokkenen is noodzakelijk om de effecten van je aanpak correct in te schatten.

Relationele agressie doet zich vanaf de kleuterleeftijd voor

Relationele agressie neemt weliswaar toe als kinderen ouder worden, maar is zeker niet beperkt tot de hogere klassen op de basisschool of de puberteit. Ook kleuters vertonen relationeel agressief gedrag. Dit betekent dat je al op zeer jonge leeftijd relationele agressie kunt en moet aanpakken. Deze aanpak moet natuurlijk aangepast zijn aan de leeftijd van het kind, zowel in de doelen die je beoogt als in de middelen die je inzet om die doelen te kunnen bereiken. Bij kleuters zal de aanpak van relationele agressie heel direct moeten zijn, gericht op het concrete gedrag (bijvoorbeeld wanneer ze een ander kind weigeren in hun spel te betrekken), met als doel dit ongedaan te maken. Je moet dus grenzen stellen aan de relationele agressie, hen uitleggen dat dit niet mag. Wanneer ze het uitgesloten kind weer in hun spel betrekken, moet dit worden toegejuicht (bijvoorbeeld door hen te prijzen voor goed samenspel). Wanneer oudere kinderen of pubers relationele agressie vertonen, is een directe aanpak (grenzen stellen) eveneens op zijn plaats, evenals een beloning bij herstel, maar hier kan een doelstelling bijvoorbeeld ook zijn: hen leren zich in te leven in het slachtoffer. Dit kan door extra uitleg te geven ('Waarom tolereer je dit niet?' 'Waarom moet het anders?') of door confrontatie ('Stel je eens in de plaats van...' of 'Waarom mag... niet meedoen?'). Jongere kinderen begrijpen zo'n uitleg nog niet; zij hebben er niet veel aan en beschikken nog niet over voldoende vaardigheden om zich in te leven in het perspectief van anderen.

Relationele agressie komt niet alleen voor bij meisjes

Steeds meer wordt duidelijk dat het verschil in relationele agressie tussen meisjes en jongens kleiner is dan onderzoekers aanvankelijk dachten. Wel is relationele agressie typischer voor meisjes. Als meisjes agressief zijn, is de kans groter dat het om relationele agressie gaat dan bij jongens. Bij jongens komt relationele agressie vaak samen met andere agressievormen voor, bijvoorbeeld fysieke agressie. De aanpak van relationele agressie bij meisjes en jongens is hetzelfde, maar als er sprake is van een combinatie van bijvoorbeeld ernstige fysieke én relationele agressie, moet de aanpak daarop afgestemd zijn.

Relationele agressie is deels aangeleerd

Kinderen gebruiken relationele agressie omdat het hen voordeel oplevert en ze er een bepaald doel mee kunnen bereiken. Bij de aanpak van relationele agressie moet je je dan ook richten op het afleren van agressief gedrag, het aanleren van niet-agressief gedrag om dezelfde doelen te bereiken of het leren waarderen van andere doelen.

Bij de aanpak van relationele agressie moeten we ook rekening houden met de thuissituatie

Hoewel alle kinderen weleens relationeel agressief kunnen zijn, lopen sommigen meer kans dan anderen om dit gedrag vaak en in ernstige mate te vertonen. Hoe dit komt en welke factoren hierbij een rol spelen, weten we nog niet zo goed. Maar een paar dingen zijn al wel bekend, onder andere over de invloed van de opvoeding. We stellen vast (Kuppens, Grietens & Onghena, 2010) dat een te grote ouderlijke psychologische controle samenhangt met relationele agressie. Met name kinderen op de basisschool die in de opvoeding ervaren dat hun ouders hen te veel controleren, te weinig psychologische vrijheid laten en hun zelfstandigheid te zeer beknotten, zouden meer kans hebben op relationele agressie. Als je relationele agressie wilt indammen, is het belangrijk om hier rekening mee te houden. Ook is het nuttig om uit te zoeken waarom er een verband is tussen psychologische controle door de ouders en relationeel agressief gedrag van hun kind. Tot dusver weten we dit niet zo goed. Het zou kunnen dat kinderen het gedrag van hun ouders bij hun leeftijdgenoten imiteren. Ze hebben geleerd dat het werkt, dat je zo macht verwerft over mensen en je sociale status verhoogt. Of misschien willen ze de traumatische gevolgen van ernstige ouderlijke psychologische controle beheersen door de baas te spelen over de gevoelens en de relationele wereld van anderen en hen te controleren. Wellicht voelen deze kinderen zich vanwege wat er thuis gebeurt ook niet echt veilig in relaties met anderen. Wat de mechanismen ook zijn die tot deze samenhang leiden, het is niet onbelangrijk om – zeker bij kinderen die ernstige vormen van relationele agressie vertonen – zich van de mogelijke problemen in de thuissituatie bewust te zijn en waar nodig deze kinderen voor verdere hulpverlening door te verwijzen. Overigens kunnen kinderen bij wie zich deze combinatie van problemen in de thuis-, school- en peergroepcontext voordoet, nog andere signalen afgeven waaruit blijkt dat het met hen niet goed gaat. Kinderen die erg lijden onder de psychologische controle van hun ouders zijn vaak prikkelbaar, opvliegend, (faal) angstig of somber.

Bij de aanpak van relationele agressie is altijd een goede diagnose nodig

Relationele agressie is complex en wordt door allerlei factoren beïnvloed en in stand gehouden. Wetenschappelijk onderzoek doet meestal uitspraken over factoren op groepsniveau. Die kennis is belangrijk, maar moet worden vertaald naar de praktijk van alledag. Wanneer je dat doet, zul je zien dat in bijna elk individueel geval, of het nu om een kind of om een specifieke klas gaat, sprake is van een unieke samenloop van risico-, beschermende en in stand houdende factoren. Je aanpak van relationele agressie kan alleen slagen als je rekening houdt met die uniciteit. Voordat je concrete maatregelen uitwerkt, is het dus belangrijk om het kind en de groep goed te analyseren. Dit kan het best door een professional gebeuren, bijvoorbeeld iemand van het CLB of de schoolbegeleidingsdienst wanneer de interventie zich in de schoolcontext afspeelt.

Tot dusver zijn er nog maar weinig interventies ontwikkeld die zich specifiek richten op de aanpak van relationele agressie. Er zijn wel interventies met een algemeen karakter – dit wil zeggen: interventies die focussen op meerdere vormen van agressie. Ook in antipestprogramma's is er een link met relationele agressie (zie bijvoorbeeld Cowie & Jennifer, 2008). Bewijzen dat deze interventies echt 'werken' is niet eenvoudig, en er is zeker nog heel wat studie vereist.

Voordat we stilstaan bij enkele mogelijke interventies, willen we een paar belangrijke punten aanstippen over de voorwaarden voor een goede aanpak en preventie van relationele agressie.

Voorwaarden voor aanpak en preventie

Relationele agressie onderkennen en benoemen

We kunnen niet genoeg benadrukken hoe belangrijk het is dat relationele agressie voldoende wordt erkend als een agressievariant die storend is, die schadelijke gevolgen heeft en die vroeg moet worden ingedamd. Alle betrokkenen – kinderen, ouders én leerkrachten – moeten inzien dat relationele agressie geen onschuldig gedrag is. Nog te vaak zien we dat bijvoorbeeld leerkrachten 'eromheen fietsen'. Ze ontkennen de problemen of zien de ernst van de situatie niet in. Iedere leerkracht heeft wel een kind in zijn klas of op zijn school dat wordt uitgesloten, over wie ernstige roddels worden verspreid, dat wordt gechanteerd, enzovoort. Maar er wordt nog te weinig ingegrepen. En het duurt vaak te lang voordat iets wordt ondernomen. Uit onderzoek blijkt dat leerkrachten sneller ingrijpen bij incidenten van fysieke agressie op de speelplaats dan bij incidenten van relationele agressie. In zekere zin is dit logisch. Fysieke agressie is duidelijker: je ziet het letterlijk voor je ogen gebeuren. En ook al zullen kinderen hun intentie om de ander pijn te willen doen ontkennen – bijvoorbeeld door te zeggen dat het 'per ongeluk' gebeurde – of aangeven dat niet zij begonnen maar dat de ander begon en dat hun gedrag 'slechts' een reactie was op de ander, het fysiek agressieve gedrag is observeerbaar voor de leerkracht en ingrijpen ligt voor de hand.

Relationele agressie doet zich veel subtieler voor, meer verdoken. Als leerkrachten het opmerken, kennen ze meestal niet de context en de voorgeschiedenis. Die zijn vaak ingewikkelder dan bij fysieke agressie. Het gedrag lijkt op het eerste gezicht ook 'onschuldiger' en 'softer'. Je ziet niet onmiddellijk de pijn van het slachtoffer. Die weet deze meestal nog wel te verbijten of te verbergen en zal, als hij wordt aangesproken, misschien ontkennen dat het erg is en dat hij eronder lijdt. Het gedrag is dus minder observeerbaar, de context is vager, de gevolgen zijn niet zo zichtbaar en het slachtoffer is minder aanspreekbaar. En dat doet leerkrachten (en andere opvoeders) twijfelen. Misschien hebben ze het bij het verkeerde eind, misschien klopt hun vermoeden niet, misschien overdrijven ze wel. Daarom zijn ze vaak geneigd niet in te grijpen, besteden ze geen aandacht aan het gedrag of wachten ze op een volgende gelegenheid om hun vermoeden te bevestigen. Maar die volgende gelegenheid komt er niet zo gauw, want relationele agressie speelt zich zoals gezegd grotendeels verborgen af. En tussen die twee gelegenheden gaat de agressie voor het slachtoffer óók door, en nemen de gevolgen toe.

Hoe kunnen we leerkrachten en andere opvoeders helpen om sneller in te grijpen en bij een vermoeden directer op de bal te spelen? Hen sensibiliseren is een eerste stap: informatie over het thema verstrekken en uitleggen wat relationele agressie inhoudt en wat de gevolgen zijn. In de opleiding van leerkrachten – zowel in het basis- als in het secundair onderwijs – zou dit thema ter sprake moeten komen. Dat is een begin. Maar we kunnen nog verder gaan. Het zou goed zijn om leerkrachten te helpen bij het onderkennen van signalen dat er relationele agressie in hun klas speelt, dat er daders zijn en dat er één of meerdere slachtoffers zijn. Deze signalen kunnen helpen om het concrete relationeel agressieve gedrag van leerlingen te herkennen. Signaallijsten zouden wel enige wetenschappelijke objectiviteit moeten hebben om tegen te gaan dat iedere leerkracht zijn eigen 'meetlat' hanteert en dus gaat beoordelen vanuit zijn eigen normen en waarden.

Enkele voorbeelden die op relationele agressie kunnen wijzen:

- Andere kinderen aanzetten om in groep tegen iemand samen te spannen.
- Leugens verspreiden achter de rug van een leeftijdgenoot om zodat hij/zij niet meer geliefd is.
- Ermee dreigen dat iemand niet op een feestje mag komen, als hij niet doet wat er gevraagd wordt.
- Uitsluiten van een leeftijdgenoot uit zijn/haar vriendenkring.
- Ruzie tussen twee goede vriend(inn)en veroorzaken.
- Niet praten met de leeftijdgenoot op wie men boos is.
- Ermee dreigen niet langer iemands vriend(in) te zijn als hij/zij niet doet wat er gevraagd wordt.
- Roddels en valse geruchten verspreiden.
- Kwaad spreken over andere kinderen.
- Vermijden om met een leeftijdgenoot samen te werken.
- De ander zodanig uitdagen dat hij/zij reageert en het daarna direct tegen de leerkracht zeggen of het slachtoffer spelen.

Belangrijk is ook om signalen te leren zien bij slachtoffers van relationele agressie. Dat is echter niet zo makkelijk. Want hoe zie je dat iemand slachtoffer is? Welk gedrag vertoont dit kind dan? Dat is moeilijk in het algemeen te zeggen. Kinderen kunnen heel verschillend reageren. Enkele algemene kenmerken kunnen we wel identificeren. Ze zullen niet openlijk zeggen dat ze slachtoffer zijn van relationele agressie; ze voelen de subtiliteit van deze agressievorm en de moeilijke bewijsbaarheid. Het is makkelijker kenbaar te maken dat je werd geslagen dan dat je werd gechanteerd. Het is ook moeilijk om voor jezelf toe te geven dat je slachtoffer bent van relationele agressie, laat staan dat je het tegenover een ander uitspreekt. Kinderen zullen het dus in eerste instantie voor zich houden, zich niet zo aanspreekbaar opstellen en de oorzaken van hun slachtofferschap op zichzelf betrekken. Ze geven zichzelf de schuld: 'Ik zal wel een saai, dom, lelijk, belachelijk iemand zijn, als er zo over me wordt geroddeld.' Weinig kinderen zullen er dus spontaan mee naar buiten komen. Dat kan door het kind namelijk als 'zwak' worden ervaren. Of het kind is bang dat de agressie zal toenemen, want het staat tegenover een oncontroleerbare groep die wraak kan nemen.

'Is alles oké?' vraagt de moeder van Julie. 'Ja, hoor,' zegt Julie en ze kijkt weg. 'Volgens mij is er wel iets, je doet de laatste maanden zo raar.' 'Mama, er is niets, dat heb ik toch al verschillende keren gezegd, stop eens met dat gezeur!' snauwt Julie boos. Ze rent de trap op naar haar slaapkamer. Vele gedachten schieten door haar hoofd; ze vraagt zich af waarom ze het niet gewoon durft te zeggen, waarom ze zich zo schaamt. Zouden haar ouders boos worden als ze het vertelt of naar haar school gaan? Ze voelt zich beroerd, maar het is ook allemaal haar eigen schuld.

Als opvoeder moet je geduld hebben met het slachtoffer en niet verwachten dat hij of zij je de eerste keer alles zal vertellen. Je moet het vertrouwen van het kind proberen te winnen. Pas wanneer je dit hebt, wanneer het kind zich voldoende veilig weet bij jou, wanneer het ervaart dat het serieus wordt genomen en dat je onvoorwaardelijk achter hem staat, zal het beetje bij beetje prijsgeven wat er gaande is en hoe het zich voelt. Maar dit gebeurt niet zomaar, zeker niet wanneer het gedrag al lange tijd aan de gang is. Het is een heel proces.

Welke signalen geven kinderen waaruit blijkt dat er iets misgaat in hun relaties en ze slachtoffer zijn van relationele agressie? In feite zijn er weinig specifieke signalen voor relationele agressie. Anders gezegd: de signalen die kinderen geven, kunnen ook een andere betekenis of reden hebben. Zo kunnen kinderen die op school slachtoffer zijn van relationele agressie thuis of op school prikkelbaar worden, zich terugtrekken (bijvoorbeeld na schooltijd direct, zonder iets te zeggen, naar hun kamer gaan), minder spontaan zijn (bijvoorbeeld thuis zelden iets over school vertellen), alles willen controleren en paniekerig worden wanneer dit niet lukt, of hun zin om naar school te gaan verliezen en 's ochtends treuzelen om het vertrek naar school uit te stellen of lichamelijke klachten (buikpijn, hoofdpijn) veinzen in de hoop niet naar school te hoeven. Wanneer de relationele agressie zich niet op school, maar in andere groepen afspeelt waarvan het kind deel uitmaakt (bijvoorbeeld een sportclub), zal het kind het gedrag in die situatie vertonen.

In eerste instantie zal het signaalgedrag van het kind zich beperken tot de groep of de situatie waarin de relationele agressie zich voordoet. Het kind dat op school wordt uitgesloten, kan zich bijvoorbeeld nog best goed voelen in de muziekles wanneer deze zich op een andere plek afspeelt en bij een andere groep kinderen. Dit kind zal graag naar de muziekles gaan, met verhalen over deze les thuiskomen, het vertrek niet uitstellen, enzovoort. Het zou zelfs kunnen dat dit kind heel graag naar de muziekles gaat wanneer het daar positieve ervaringen met leeftijdgenoten heeft, om te compenseren wat er in de klas misgaat en om zijn emoties hierover te verwerken. Logisch, want het kind beleeft succeservaringen op de muziekles. Het is dan aan opvoeders om het kind hierin te bevestigen en te stimuleren. Dat kan door naar de succeservaringen te luisteren, door het kind aan te moedigen erover te vertellen en door het te prijzen om wat het kan. Dit zijn sociale beloningen die het kind sterker maken en helpen de weerbaarheid in moeilijke situaties te vergroten.

Algemeen zou je het volgende kunnen zeggen over de reacties op relationele agressie. Als het kind zich niet voldoende kan verweren in de groep en het onderspit delft – en dat is heel vaak het geval – zijn de reacties in twee categorieën onder te brengen: vluchten, zowel fysiek als mentaal ('er niet aan denken'), en zich emotioneel afsluiten ('proberen niet te voelen wat er gaande is'). Het kind doet dit om zich te beschermen en om te overleven. Zolang het kind niemand heeft die met een open houding naar hem luistert, het goed met hem meent en zijn probleem erkent, zijn dit noodzakelijke strategieën. Aan de groep valt namelijk meestal niet te ontsnappen. De relationele agressie kan na schooltijd even voorbij zijn – voor zover die tenminste niet doorgaat via internet of mobiele telefoon – maar de volgende ochtend is de groep er weer. Signalen van slachtoffers van relationele agressie tijdig onderkennen vraagt dus heel wat van opvoeders. Behalve geduld zijn ook begrip en een groot inlevingsvermogen nodig. Vaak zal een spontane en goedbedoelde reactie van de volwassene ('dat zijn toch alleen maar roddels, dat is niet waar!' of 'je moet niet zo met je laten sollen') het kind afschrikken, het nog meer in zijn schulp doen kruipen of het met nog meer schaamte- en schuldgevoelens beladen. Tijd nemen om zo onbevangen mogelijk naar het kind te luisteren is erg belangrijk.

Tot slot willen we nog aangeven dat plotselinge en voor de opvoeder onverklaarbare gedragsveranderingen bij een kind een signaal kunnen zijn dat er in de groep iets misgaat. Denk bijvoorbeeld aan een open kind dat van de ene op de andere dag niets meer over school vertelt, of aan een kind dat plotseling tegenzin heeft om naar school te gaan, of aan een kind dat zich niet goed meer kan concentreren op het schoolwerk, terwijl het dit daarvoor wel kon.

Relationele agressie is een groepsgebeuren

Relationele agressie speelt zich af in groepen, want er zijn altijd meerdere kinderen bij betrokken. Je zou denken dat een groep in twee subgroepen kan worden verdeeld: de relationeel agressieve kinderen of daders en het slachtoffer. Maar als je naar relationele agressie gaat kijken en vooral de manier observeert waarop een groep functioneert, zul je zien dat deze tweedeling niet altijd opgaat. Relationele agressie is een complex groepsgebeuren: de rollen die groepsleden hebben, zijn niet te reduceren tot die van dader of slachtoffer. Wanneer relationele agressie een patroon is geworden en één kind het slachtoffer is in een groep die door de tijd heen vrij stabiel blijft – bijvoorbeeld een klas – kunnen we dit beschouwen als een vorm van pesten en kunnen we behalve pesters en slachtoffer(s) nog andere rollen onderscheiden, namelijk assistenten, meelopers, helpers en buitenstaanders. Belangrijk is dat ieder kind van een klas een rol heeft. De *assistenten* nemen niet het voortouw bij het pesten, het initiatief gaat van de pesters uit, maar ze helpen wel om het pesten in stand te houden. Ze voeren uit en zijn in de groepshiërarchie ondergeschikten. De *meelopers* hebben eerder een passieve rol in het pesten. Ze kijken toe vanaf de zijlijn, ze lachen en applaudisseren en houden op deze manier het pesten in stand. De *helpers* – meestal zijn dat er niet zo veel – proberen het slachtoffer te steunen en te beschermen en het voor hem op te nemen. Ze proberen tegen de agressie in te gaan en de pesters en hun gevolg op andere gedachten te brengen. Deze rol is niet zonder risico. Zich om het slachtoffer bekommeren kan door de groep worden afgestraft. Zo raken helpers weleens geïsoleerd. Door hun verbond met het slachtoffer kunnen ze zelf slachtoffer van pesterijen worden. De *buitenstaanders* ten slotte staan helemaal aan de kant, of proberen dit tenminste. Ze bemoeien zich nergens mee en doen of hun neus bloedt. Maar echt helemaal buitenspel staan ze natuurlijk niet, want als het om chronisch pestgedrag gaat, zijn ze hiervan op de hoogte. Ze zouden er iets aan kunnen doen – bijvoorbeeld in de rol van helper – maar doen dit niet en houden zo mede het patroon in stand.

Om relationele agressie – zeker wanneer deze zich voordoet in de vorm van een pestpatroon – doeltreffend aan te pakken, is het goed om niet alleen de daders en het slachtoffer in je aanpak te betrekken, maar ook de andere kinderen. Ze zijn immers allemaal betrokken. Een groepsinterventie dus, waarbij de groep als een systeem en niet louter als een verzameling van individuen wordt beschouwd. Dit betekent dat je rollen moet toebedelen, dat je moet kijken naar de hiërarchie in de groep, naar de posities die elk groepslid inneemt, naar de allianties, naar de coalities en naar de verwachtingen die groepsleden van elkaar hebben. Ondanks deze systeemgerichte aanpak is in sommige gevallen ook een individuelere aanpak nodig, bijvoorbeeld wanneer de gevolgen voor het slachtoffer al zo ernstig zijn dat een confrontatie met de groepsleden niet meer wenselijk of in eerste instantie zelfs schadelijk is. Dan zal voor het slachtoffer een meer gespecialiseerde behandeling nodig zijn (zie verder). Maar op een gegeven moment moet het kind wel terug naar de groep worden geleid.

Een taak van lange adem

De aanpak van relationele agressie zal zelden onmiddellijk effect hebben. Het gedrag kan hardnekkig zijn, evenals de gevolgen ervan. Het kan, voordat het wordt herkend en aangepakt, al diep in een groep zijn ingesleten. Kinderen wachten met duidelijke signalen geven of klikken. We moeten ervan uitgaan dat ze veel en goede redenen hebben om de problemen die ze in relaties ondervinden eerst zelf op te lossen, zonder de hulp van een volwassene, en dat ze daar veel moeite voor doen. Vooral voor pubers, voor wie zelfstandigheid heel belangrijk is en gevoelens moeilijk bespreekbaar zijn, is het moeilijk om naar buiten te komen. Dit heeft tot gevolg dat een interventie een zekere duur moet hebben en dat we onze verwachtingen van hun werkzaamheid realistisch moeten inschatten. Dit realisme begint al bij de doelstellingen van de interventie. Welke veranderingen beogen we? Zijn deze haalbaar en binnen welke tijdsperiode denken we ze te bereiken? Deze vragen moet je duidelijk beantwoorden voordat je met je plan van aanpak van start gaat.

Als je doelstellingen gaat formuleren, is het goed om onderscheid te maken tussen kortetermijn- en langetermijndoelen. Wat je op de lange termijn wilt, is meestal wel duidelijk: je wilt dat het relationeel agressieve gedrag afneemt, dat kinderen op een constructieve manier relaties aangaan en onderhouden, dat de groep harmonisch is en dat iedereen prosociaal gedrag vertoont, zoals elkaar helpen en voor elkaar zorgen. Dit zijn allemaal nobele langetermijndoelstellingen waar iedereen achter kan staan, maar je moet bij de concrete uitwerking wel nagaan of en in welke mate ze realistisch en haalbaar zijn, rekening houdend met de context, de voorgeschiedenis en het potentieel van de groep en zijn begeleiders. Met andere woorden: wat is 'echt' mogelijk? Kortetermijndoelstellingen dienen als stapjes op weg naar de langetermijndoelen. Ze plaveien de weg ernaartoe. Terwijl langetermijndoelen nog iets absoluuts mogen hebben, moeten kortetermijndoelen concreet en realistisch-haalbaar worden geformuleerd, willen ze echte bouwstenen worden op weg naar de wenselijkste situatie. Een langetermijndoel zou bijvoorbeeld kunnen zijn: 'er mogen zich geen incidenten van relationele agressie meer voordoen in de klas' of 'het pesten moet ophouden'. Dit zijn einddoelen. Verwachten dat ze in korte tijd zullen worden bereikt, is irrealistisch en naïef. Doelen op de kortere termijn die aan deze einddoelen voorafgaan, zijn bijvoorbeeld 'we moeten ervoor zorgen dat alle leerlingen in de klas gemotiveerd raken om het pesten tegen te gaan' of 'het slachtoffer van relationele agressie moet erkenning krijgen van de leerkracht en de directie en zijn verhaal bij hen kunnen doen' of 'de pesters moeten de gelegenheid krijgen hun motieven kenbaar te maken'. Deze doelen zijn minder absoluut, concreter en grijpbaarder.

Als een groep echt is verziekt door langdurige relationele agressie, betekent dit dat in de beginfase met zeer kleine stapjes moet worden gewerkt. Als de situatie voor het slachtoffer minder erg zou worden, er wat minder agressie en wat meer controle zou zijn, is al een belangrijk doel bereikt. Kortetermijndoelen moeten snel en nauwkeurig worden geëvalueerd. Als ze niet worden behaald, kan dit te wijten zijn aan de gekozen aanpak – wat doe je om de agressie af te bouwen? – of aan het doel zelf – is het wel realistisch genoeg, is het te zetten stapje wel klein genoeg, is er wel voldoende tijd genomen? We nemen als voorbeeld het kortetermijndoel 'we moeten ervoor zorgen dat alle leerlingen in de klas gemotiveerd raken om het pesten tegen te gaan.' Dit doel zal serieus moeten worden genomen. In het begin moet er heel hard worden gewerkt aan de motivatie van de leerlingen en iedereen moet erbij betrokken worden. Het probleem is immers collectief en niemand staat buiten de groep. Maar dit betekent dat álle leerlingen zich aangesproken moeten voelen, dat het voldoende tot iedereen moet doordringen dat er een serieus probleem in de klas is en dat iedereen er iets aan kan doen om het probleem aan te pakken. Je moet de tijd nemen om naar alle leerlingen te luisteren. Wat is hun kijk? Wat zijn hun motieven? Wat willen ze veranderen en hoe zien ze dit? Pas wanneer iedereen zich gehoord zal voelen, zal een collectieve wil tot verandering kunnen groeien. En pas dan zal een volgende stap gezet kunnen worden.

Het terugdringen van relationele agressie – en eigenlijk geldt dit voor elke vorm van agressie of storend gedrag – zou een permanent aandachtspunt moeten zijn in de klas. Het gaat dus niet om een eenmalige aanpak als reactie op een individueel incident. Werken aan minder agressie zou deel moeten uitmaken van de school en haar cultuur; de hele schoolgemeenschap zou dit moeten uitdragen. Om dit duidelijk te maken kan een school dit punt opnemen in haar schoolreglement en het laten onderschrijven door haar leerlingen én personeelsleden. Want iedereen is betrokken. De school maakt op die manier kenbaar dat zij het als haar verantwoordelijkheid ziet voortdurend te werken aan positieve relaties binnen de school. Zo wordt een basis gecreëerd waarop een concreet plan van aanpak kan worden geënt. Wanneer die basis er niet is en je problemen alleen maar aanpakt als ze zich voordoen, bestaat het gevaar dat niet iedereen zich even verantwoordelijk en betrokken zal voelen ('het gebeurt niet in mijn klas, dus ik heb er niets mee te maken'). Zinvolle en goedbedoelde initiatieven om relationele agressie tegen te gaan of te voorkomen lopen dan vanwege hun te vrijblijvende karakter een grote kans te verzanden en op niets uit te draaien.

Niet geïsoleerd, maar deel van een totaalaanpak
De aanpak van relationele agressie kan beter niet geïsoleerd gebeuren, maar moet liefst deel uitmaken van een totaalaanpak. Het gaat immers om relaties tussen leerlingen onderling, en die zijn er altijd, spelen overal een rol in, hebben invloed op het klimaat in de klas, op de motivatie en prestaties van leerlingen, op de motivatie en inzet van leerkrachten, enzovoort. Aan relaties kan een school heel veel aandacht besteden, ze kan er een vast aandachtspunt van maken in het lespakket of extra lessen over organiseren. Wanneer de aanpak alleen maar op het probleem zelf is gericht, kan het effect minder langdurig zijn. Zodra het probleem afneemt, verdwijnt het thema uit de aandacht en kunnen na verloop van tijd nieuwe problemen opduiken. Wanneer de aanpak is ingebed in een geheel van (preventieve) acties rond communicatie over relaties, het stimuleren van prosociaal gedrag of het optimaliseren van het klimaat op school, wordt het anders en beklijven gerichte interventies met het oog op relationele agressie wellicht langer.

Een voorbeeld van een integratieve interventie: het Opheliaproject

Inmiddels zijn er steeds meer methoden om relationele agressie aan te pakken en komt er onderzoek naar hun werking. Hierbij wordt rekening gehouden met het leeftijdsspecifieke karakter van relationele agressie: onderzoekers proberen een aanpak te ontwerpen die aangepast is aan de specifieke leeftijd van het kind (zie bijvoorbeeld Ostrov en collega's, 2009).

Verreweg het meest omvattende en misschien ook wel het bekendste plan om relationele agressie aan te pakken is het zogenaamde Opheliaproject in de Verenigde Staten (www.opheliaproject.org). Dit project is in handen van een nationale non-profitorganisatie die in Pennsylvania zetelt. Het werd gestart in 1997 door Susan Wellmann, een lerares die zich samen met haar collega's bekommerde om het sociale en emotionele welzijn van adolescente meisjes die op de drempel van zelfstandigheid stonden. Ze stelde vast dat veel tienermeisjes kampten met eenzelfde probleem: ze waren slachtoffer van relationele agressie in hun peergroep en leden onder de gevolgen ervan. In eerste instantie probeerden Wellmann en haar collega's deze meisjes een luisterend oor te bieden. Geleidelijk gingen ze samen met hen op zoek naar oplossingen en strategieën om de gevolgen van relationele agressie en mogelijkheden om het gedrag tussen tieners te voorkomen. Algauw werd duidelijk dat relationele agressie niet alleen maar onder meisjes voorkwam, maar dat jongens ook slachtoffer konden zijn. Nu, meer dan tien jaar later, richt het Opheliaproject zich op de aanpak en preventie van relationele agressie bij kinderen, tieners én volwassenen (bijvoorbeeld op de werkvloer) en biedt het op nationale schaal voorlichtings-, vormings-, trainings- en counselingprogramma's aan ouders, leerkrachten en andere opvoeders met het oog op het bevorderen, herstellen en in stand houden van een veilig sociaal klimaat op scholen en op het werk en het bewerkstelligen van duurzame veranderingen in groepen en systemen waarin zich agressie voordoet. Onder 'een veilig klimaat' verstaat men een klimaat waarin alle aanwezigen voldoende worden beschermd, gerespecteerd, aangemoedigd en verantwoordelijk gesteld voor hun daden. In zo'n klimaat kunnen mensen groeien en gedijen en hun mogelijkheden ten volle benutten. Het Opheliaproject vindt het ook belangrijk om het wetenschappelijk onderzoek naar relationele agressie te promoten en daarom steunt het onderzoeksprojecten.

Wat biedt Ophelia? Een totaalpakket met een zeer breed aanbod aan programma's voor individuen, scholen en gemeenschappen. Dit varieert van informatie over relationele agressie voor ouders, leerlingen, leerkrachten en anderen (boeken, dvd's, conferenties, lesmateriaal, getuigenissen), tot trainingsprogramma's op maat voor deze groepen of activiteiten in de vorm van lessen door kinderen voor kinderen. Sinds kort richt de groep zich ook op relationele agressie in cyberspace, een vorm van cyberpesten.

Het Opheliaproject is erg inspirerend voor wie een concreet programma wil opzetten om relationele agressie aan te pakken. Het is uniek en omdat het een totaalpakket is dat aandacht heeft voor kinderen en volwassenen in hun diverse contexten, heeft het zeker een groot potentieel. Maar het project is ook erg ambitieus. Of het té ambitieus en voortvarend is in zijn doelstellingen zal moeten blijken. Tot dusver werd er over de resultaten van Ophelia nog niet zo veel gepubliceerd. Maar wat al wel werd gepubliceerd, stemt hoopvol. Zo is er *CASS – Creating a Safe School.* Dit is een trainingsprogramma voor leerlingen uit hogere jaren om gedurende een bepaalde tijd de mentor te zijn van leerlingen uit lagere jaren. Ze leren om interpersoonlijke agressie bespreekbaar te maken in een groep, ze leren te zoeken naar de impact van agressie op gedachten, gevoelens en gedrag van mensen en ze helpen constructieve leiderschapsstijlen te ontwikkelen. Een evaluatie leert dat dit leidde tot een aanzienlijke daling van relationele agressie over een periode van één jaar: bij meisjes daalde het gedrag met 23 procent, bij jongens met 10 procent.

Enkele voorbeelden van wat in het Opheliaproject *CASS* aan bod komt:

- het sociale klimaat op school in kaart brengen (*assessment*); consulenten maken samen met directie, leerkrachten, andere personeelsleden, leerlingen en ouders een dwarsdoorsnede van het sociale klimaat; ze brengen incidenten van relationele agressie in beeld en gaan na wie werd geviseerd en wat de uitlokkende factoren waren; aan de hand van deze analyse wordt een actieplan opgesteld en worden aanbevelingen geformuleerd om veranderingsdoelen en methodieken uit te werken;
- directies, leerkrachten en leerlingen kunnen bij het *CASS*-team terecht wanneer zich een incident van relationele agressie voordoet; er wordt dan samen met hen op korte termijn een interventie voorbereid; wanneer scholen een beleid rond de aanpak of preventie van relationele agressie willen opzetten, bijvoorbeeld een campagne organiseren, kunnen ze eveneens een beroep doen op de consulenten; verder leiden consulenten mentoren op, leerlingen uit hogere jaren die leerlingen uit lagere jaren helpen bij de aanpak van relationele agressie;
- voor leerkrachten worden geregeld (of op verzoek) workshops georganiseerd, zoals 'Hoe kun je een positief leerklimaat in de klas bewerkstelligen en behouden?' (Je kunt dit bijvoorbeeld doen door regelmatig kringgesprekken met kinderen te houden over actuele thema's, actieve aandacht te tonen voor alle kinderen, kinderen verantwoordelijkheid te geven voor elkaar en voor elk kind iets te zoeken waarin het uitblinkt en dit te benoemen.) Een ander voorbeeld van een workshop is: 'Hoe kun je leerlingen met specifieke onderwijsleerbehoeften (bijvoorbeeld leerlingen met een handicap) helpen integreren?';

- ook voor ouders en leerlingen worden geregeld (of op verzoek) workshops over diverse thema's georganiseerd, bijvoorbeeld hoe je a ls ouder je kind weerbaarder kunt maken ten aanzien van relationele agressie (dit kun je doen door je kind te laten praten wanneer het met iets zit, het te helpen verwoorden wat zijn probleem is, het te bevestigen in wat het goed kan, samen naar oplossingen voor problemen te zoeken, het controle te geven over zijn leven en niet in zijn plaats keuzes te maken), hoe je signalen van relationele agressie kunt herkennen bij je kind, hoe je (voor leerlingen) jezelf beter kunt leren inleven in de gevoels- en gedachtewereld van andere kinderen, hoe je (als ouder of leerling) kunt omgaan met agressie in cyberspace en wat ethisch verantwoord gebruik van internet betekent.

Relationele agressie thuis aanpakken

We bespraken tot dusver interventies voor relationele agressie in de klas en op school. Dat komt omdat het fenomeen vooral in deze context voorkomt, waar kinderen in min of meer vaste groepen gedurende langere tijd met elkaar samenleven. Maar hoe zit het met interventies in de thuissituatie?

Wat kunnen ouders doen om relationele agressie van kinderen te beperken of te voorkomen? Net als leerkrachten moeten ze bereid zijn het gedrag bij hun kind te onderkennen en hun ogen er niet voor te sluiten. Opnieuw is dit gemakkelijker gezegd dan gedaan, want relationele agressie is voor ouders misschien nog minder zichtbaar dan voor leerkrachten. Ouders zien hun kind weinig in groep bezig en de momenten waarop ze toch bij een groepsgebeuren aanwezig zijn, zullen kinderen zich waarschijnlijk gedeisd houden. Vaak zullen ouders het gedrag dus niet zelf observeren bij hun kind, maar het weten 'van horen zeggen'. Dan is het erg belangrijk dat ze het onderkennen. Als ouders dit gedrag van hun kind ontkennen, belonen ze het gedrag en gaan ze de kans op een dialoog met hun kind uit de weg. Het is dus belangrijk de informatie serieus te nemen, te zoeken naar eventuele bevestiging van feiten en een confrontatie met het kind niet uit de weg te gaan. Wil een aanpak op school of in een andere groep kans op slagen hebben, dan moeten ouders één lijn trekken met de directie, leerkrachten en groepsleiding, want hun kind zal zich waarschijnlijk aan hun standpunt conformeren. Als ouders relationeel agressief gedrag bij hun kind zien, bijvoorbeeld doordat ze merken dat het kind zijn broers en zussen tegen elkaar uitspeelt en de onderlinge relatie manipuleert, moeten ze zorgen dat ze geen positie kiezen en hierboven staan door het kind duidelijke grenzen en regels voor te houden van wat kan en wat niet kan. Belangrijk is in dit verband om onderscheid te maken tussen 'speelse' en 'echte' relationele agressie tussen broers en zussen. Relaties tussen broers en zussen zijn, zeker wanneer ze weinig in leeftijd verschillen, nogal eens het terrein van exploratie, het zogenaamde *play fighting*. Ook met manipuleren, chanteren, roddelen en ander relationeel agressief gedrag kan worden geëxploreerd. Het is dan niet echt. Ouders moeten de grens van deze exploratie bewaken en kinderen ervoor behoeden dat ze grenzen overschrijden. Hoe kunnen ze dit doen? Door de vinger aan de pols te houden, in de buurt te blijven, open te staan voor alles wat ze in dit verband van hun kinderen horen en de eventuele signalen die kinderen geven wanneer ze zich niet goed voelen omdat grenzen werden overschreden niet te veronachtzamen. Als ouders relationeel agressief gedrag tussen hun kinderen zien, moeten ze, net als bij ander agressief gedrag, kordaat optreden, het kind duidelijk maken dat dit niet wordt getolereerd en het straffen. Net als in een klas gebeurt dit het best tegen de achtergrond van een opvoeding die dialoog nastreeft, waarin prosociaal gedrag wordt aangeleerd en beloond en waarin een veilig en positief leefklimaat wordt geboden.

Als we ervan uitgaan dat kinderen het gedrag van hun ouders imiteren, dan betekent dit dat ouders in relaties zelf het goede voorbeeld moeten geven en dus geen relationeel agressief gedrag moeten vertonen. Uit onderzoek blijkt dat relationele agressie van kinderen vaak samengaat met een te grote psychologische controle van ouders. Dit impliceert dat ouders zich er bewust van moeten zijn dat een te grote inmenging in de psychologische wereld van hun kind en een te strikte controle op autonomie en zelfbeschikking niet goed zijn en het kind ertoe kunnen aanzetten relationeel geweld uit te oefenen in relaties met andere kinderen.

Het is van belang dat ouders oprecht geïnteresseerd zijn in de (sociale) leefwereld van hun kind. Te weinig interesse hiervoor is niet goed – als ouders niet weten wat hun kind doet en waar het uithangt, kunnen ze het probleem nooit onderkennen en ter sprake brengen. Te veel inmenging in de leefwereld van het kind is evenmin goed, want dit berooft het kind van zijn vrijheid, het kwetst een kind en zet aan tot het afreageren van opgekropte frustraties, bijvoorbeeld in de vorm van relationele agressie.

Relationele agressie is naar we mogen aannemen weinig bekend bij ouders. Om het meer bekendheid te geven en ouders het nut van onderkenning en een goede reactie te laten inzien, zijn informatieverspreiding, voorlichting en psycho-educatie noodzakelijk. Want hoewel relationele agressie zich meestal buiten hun actieradius afspeelt en ze vaak niet direct bij de interventie zijn betrokken, kunnen geïnformeerde en waakzame ouders het verschil maken.

Hulpverlening aan slachtoffers

Een aanpak op groepsniveau is vaak gericht op herstel (Hopkins, 2004). De positieve krachten in de groep worden aangeboord om dit herstel te bereiken. Het slachtoffer, dat deel uitmaakt van deze groep, voelt de positieve krachten in het groepsproces naar voren komen en zal de herstellende werking ondervinden door de concrete afspraken die worden gemaakt. De kinderen die voorheen pestten en ook degenen die indirect bij het pesten waren betrokken, gaan zich nu zichtbaar anders gedragen. Er wordt afgesproken dat ze het slachtoffer positieve aandacht zullen schenken, bijvoorbeeld door het 's ochtends vriendelijk te begroeten, door samen met het slachtoffer een activiteit te doen, door het te helpen (bijvoorbeeld met schoolwerk), enzovoort. Het slachtoffer ervaart een positieve houding en positief gedrag van de hele klas. Het zal op die manier geleidelijk uit de slachtofferrol kunnen treden, minder angstig worden en zich meer openstellen voor anderen. De groep bereikt zo een nieuw evenwicht. Het pesten zal langzaamaan verdwijnen.

Voor sommige slachtoffers van relationele agressie zal deze groepsaanpak moeilijk zijn, omdat ze niet willen dat het probleem in de groep wordt aangepakt. Uiteraard is de motivatie van het slachtoffer voor deelname aan een groepsaanpak essentieel en kun je deze niet forceren. Maar je kunt een slachtoffer er wel naartoe laten groeien. Het kan zijn dat een kind in eerste instantie niets positiefs ziet in zo'n aanpak; dat is logisch, want het heeft vooral ellende van de groep ondervonden. Angst of woede verlamt zijn motivatie. Maar als je het kind vertelt wat een groepsaanpak inhoudt, verhalen van andere slachtoffers laat horen en de motivatie en goede wil van de groepsleden laat zien – bijvoorbeeld in een kringgesprek – 'ontdooit' het kind misschien wel.

Bij sommige slachtoffers is een groepsaanpak echter af te raden. Dan gaat het niet alleen om een motivationeel probleem, maar ze zijn te bang, te boos, te beschadigd en te gekwetst om hun problemen in de groep te 'etaleren' en eraan te werken. Hoe goedbedoeld en voorbereid deze aanpak ook mag zijn, deze kinderen zijn getraumatiseerd door het chronische en ernstige pestgedrag dat ze hebben moeten ondergaan. Ze zijn er heel schuw en angstig door geworden, hebben problemen met slapen, herbeleven op school of thuis de traumatische gebeurtenissen die ze meemaakten en hebben moeite om zich te concentreren. Deze kinderen hebben individuele hulp nodig, want ze lijden erg onder wat hun werd aangedaan. Bovendien missen ze de sociale vaardigheden om een aanpak in de groep aan te kunnen.

Waaruit bestaat de individuele aanpak met een slachtoffer van relationele agressie? Het kan de vorm aannemen van een individuele therapie waarin het kind de kans krijgt om te vertellen wat hem is overkomen op een manier die bij zijn leeftijd, mogelijkheden en behoeften past. Het kind kan stapje voor stapje het verhaal van zijn trauma vertellen, met veel steun en geduld van een volwassene die hem aanvaardt, aanhoort en begrijpt. Het kind kan op een directe manier vertellen wat er is gebeurd, wat zijn belevingen zijn, hoe het zich voelt en hoe het met zijn gevoelens en gedachten kan omgaan. Door te praten kan het kind leren dat het zich niet schuldig (meer) hoeft te voelen voor wat er is gebeurd. Het kind dient in de therapie ook te leren wat zijn sterktes zijn, waar het goed in is en wat het goed kan. Het is belangrijk om deze krachten van het kind te benoemen, want dit helpt om zelfvertrouwen te kweken, in zichzelf te geloven en vanuit zijn eigen kracht te vertrekken. Therapie dient dus om samen met het kind helderheid in het traumaverhaal te brengen, gevoelens te benoemen en krachten te ontdekken. Ook het oefenen van sociale vaardigheden (bijvoorbeeld in een rollenspel) kan aan bod komen.

Vaak zal het traumaverhaal niet onmiddellijk op een directe manier kunnen worden verteld, bijvoorbeeld omdat de pijn te groot is of omdat het kind te jong is en nog geen woorden kan geven aan wat er gebeurd is. Dan ben je aangewezen op indirecte werkwijzen, namelijk via tekeningen, poppenspel of verhalen (zie bijv. Safran & Safran, 2008).

Mike voelde zich anders dan zijn klasgenoten. Hij was redelijk timide en had niet zo veel vrienden. Hij wist dat hij intelligent was, maar op een andere manier dan de rest. Mike hield van tekenen en knutselen. Deze eigenschappen maakten dat hij 'anders' was dan de meesten van zijn mannelijke klasgenoten. Hij werd het mikpunt van spot en zijn klasgenoten verweten hem dat hij te 'soft' was. Hij werd vaak uitgesloten. Mike voelde zich hierdoor angstig, kwam niet graag naar school en had een laag zelfbeeld. Zijn ouders en leerkrachten waren niet op de hoogte van deze situatie. Mikes oudere zus plaagde hem, zoals in elke familie weleens het geval is, en zijn overdreven reacties verontrustten zijn ouders. Hij ontwikkelde lichamelijke klachten maar zijn huisarts vond geen medische verklaring hiervoor. Mike wilde zijn geheim niet prijsgeven, 'hij was een zwakkeling en hij had geen vrienden.' Hij voelde zich zelf verantwoordelijk voor de dagelijkse pesterijen en hij geraakte meer en meer in een isolement. Hij slaagde er niet in om oogcontact te maken en hij gedroeg zich alsof hij het hele gewicht van de wereld moest torsen.

Toen hij startte met de therapie en daar een aantal tekeningen moest maken, werd al snel duidelijk dat hij bepaalde geheimen met zich meedroeg. Hij stond achter de therapie omdat hij deze als een uitlaatklep voor zijn problemen beschouwde. Hij kon ze eenvoudigweg niet onder woorden brengen. Na drie maanden van tekensessies volgde een familiesessie, waarin Mike voor de eerste keer verbaal uiting kon geven aan wat er aan de hand was met hem. Hij sprak over de pesterijen op school en over hoe hij zich voelde als zijn zus hem plaagde. De familie van Mike toonde veel medeleven, en ze erkenden de persoonlijke groei die Mike had doorgemaakt de laatste maanden.

Vele studenten zoals Mike worden in groepsessies behandeld waarin leeftijdgenoten zitten die het slachtoffer zijn van pesterijen. Het opzet van deze sessies is om studenten de kans te geven om hun sociale vaardigheden te oefenen in een veilige en gecontroleerde omgeving en zo succeservaringen op te doen op zowel sociaal als emotioneel vlak.
Bewerkt voorbeeld naar een casestudy in Safran & Safran (2008, p. 148-151)

Deze technieken helpen het kind om te communiceren over wat voor hem traumatisch is en kunnen het dichter bij zijn verhaal en belevingen brengen. In tekeningen, spel en verhalen kan het kind zijn eigen gevoelens projecteren. De therapeut maakt deze bespreekbaar voor het kind en helpt het kind op die manier om verbinding te leggen met zichzelf, dat wil zeggen: om zijn gevoelens onder ogen te zien en zichzelf te begrijpen. Als dit gebeurd is – en dat kan bij een ernstig trauma lang duren – zal het kind zich sterker gaan voelen, klaar om er 'weer tegenaan te gaan' en verbinding te leggen met zijn omgeving. Pas dan zal een aanpak in de klas voor het kind zin hebben.

Bij de therapie spelen ouders en leerkrachten een belangrijke rol. Wat in de therapie gebeurt, staat immers niet los van de thuis- en de schoolcontext. Het kind heeft heel veel steun nodig en moet ook thuis en op school een luisterend oor hebben wanneer het iets wil vertellen. Ouders en leerkrachten moeten daarbij een actief luisterende houding aannemen. Ze moeten er in de eerste plaats 'zijn' voor het kind, het de nodige veiligheid bieden en emotioneel beschikbaar zijn (Brok & de Zeeuw, 2008). 'Er zijn' voor een kind in termen van emotionele beschikbaarheid wil zeggen: een kind begrijpen en verstandig op hem reageren. Hierbij is het belangrijk dat je de signalen van het gekwetste kind oppikt: de woede, de angst, het verdriet, maar ook de signalen van kracht en vechtlust.

Om dit te kunnen, moet je het kind goed in de gaten houden, zijn doen en laten observeren, moeite doen om hem te leren kennen. Oogcontact zoeken met het kind is belangrijk, net als ontvankelijk zijn voor het contact dat het kind zoekt via ogen, stem of gebaren. Wil het kind wat vertellen? Geef je het daarvoor voldoende kans? Verstandig reageren kan alleen als de ouder of leerkracht zich goed weet te verplaatsen in het perspectief en de leefwereld van het kind. Er gaat in kinderen vaak heel veel om wat ze zelf nog niet begrijpen, omdat ze te klein zijn, omdat ze hun gedachten niet durven uit te spreken of omdat ze het niet kunnen toetsen aan de werkelijkheid. Ouders en leerkrachten kunnen kinderen die het moeilijk hebben helpen om hun gedachten uit te spreken. Zij begrijpen meer dan het kind kan begrijpen. Zij kunnen het kind troosten.

Als het kind iets wil vertellen, moeten ouders of leerkrachten het niet overdonderen met vragen, maar ze moeten het initiatief tot vertellen zo veel mogelijk bij het kind laten. Niet aandringen, niet zelf het verhaal invullen wanneer het kind stokt, geen suggestieve vragen stellen en liefst ook geen waaromvragen. Het kind hoeft zich immers niet te verantwoorden. Het hoeft geen verklaring te geven. Verder zijn ouders en leerkrachten natuurlijk ook heel goede 'barometers' die kunnen aangeven hoe het met het kind gaat. Zien ze verbetering in het gedrag en het gevoelsleven van het kind? Wordt het kind levendiger, spontaner, blijer, enthousiaster, rustiger? Hier kunnen ze de therapeut goed over informeren. Voorwaarde is natuurlijk dat ze waakzaam zijn én blijven.

Een specifieke opvoedingssituatie: relationele agressie in de leefgroep

Relationele agressie kan zich voordoen in alle groepen waarin kinderen verblijven. We willen even stilstaan bij relationele agressie in een bijzondere groep: de leefgroep. Dit is een samenlevingsverband van kinderen die vanwege ernstige gedrags- en emotionele problemen of ernstige problemen in de opvoeding – bijvoorbeeld kindermishandeling – voor kortere of langere tijd niet in hun thuissituatie kunnen leven. Het feit dat deze kinderen in kwetsbare situaties leven en vaak ernstig emotioneel gekwetst zijn voordat ze uit huis werden geplaatst, dat de plaatsing iets is wat hun overkwam, soms zelfs werd opgelegd, dat zij hun groepsgenoten niet konden kiezen én deze ook uit kwetsbare milieus afkomstig zijn, maakt het leven in een leefgroep niet vanzelfsprekend. Behalve ernstige fysieke, verbale en seksuele agressie kennen leefgroepen ook vaak relationele agressie (Kuppens, Michiels & Grietens, 2009) en andere vormen van relationeel pestgedrag (Barter en collega's, 2004). Dit plaatst opvoeders voor grote uitdagingen. Relationele agressie is sowieso subtiel en moeilijk grijpbaar, maar in deze context is het vaak nog moeilijker. Ieder kind heeft immers een complexe geschiedenis, die vaak wordt gekenmerkt door geweld en vroege traumatisering. Vaak hebben deze kinderen weinig kans gehad om zich goed aan hun verzorgers te hechten en wordt hun leven en dat van hun familie gekenmerkt door chaos en gebrek aan controle. Dit maakt hen extra gevoelig voor het gedrag van hun opvoeders en de andere kinderen met wie ze samenleven. Soms kan gedrag van anderen de pijn en angsten van vroeger (bijvoorbeeld om verlaten te worden) oproepen – het is dan een trigger – en moet agressie, in welke vorm ook, worden gebruikt als strategie om greep te krijgen op mensen en situaties. Ook zijn veel uit huis geplaatste kinderen heel boos om wat ze allemaal hebben meegemaakt en (nog) niet hebben kunnen uitspreken in een vertrouwensrelatie, en uiten ze die boosheid in de groep tegenover andere kinderen en opvoeders. Zo wordt een leefgroep een web van ingewikkelde relaties en een potentiële broeihaard van relationele agressie, waarin kinderen anderen zwartmaken, chanteren, roddelen, opvoeders tegen elkaar uitspelen, opvoeders tegen andere kinderen uitspelen, kliekjes vormen, enzovoort. Bovendien blijkt de hiërarchie in leefgroepen heel belangrijk te zijn. De groep moet overleven en een hiërarchische indeling van de groepsleden schept duidelijkheid, zekerheid en controle; dit helpt om te overleven. Ieder kind heeft na enige tijd een rol in de groep. Voor nieuwelingen is het soms erg lastig om in een gevestigde groep te integreren en zij worden, als ze onvoldoende weerbaar zijn of het 'verkeerde gedrag' vertonen (bijvoorbeeld een positie innemen die voor gevestigde groepsleden bedreigend is), gauw slachtoffer van (relationele) agressie. De aanpak van relationele agressie in leefgroepen verschilt in wezen niet van die in andere groepen, zoals de klas; hier gelden dezelfde voorwaarden. De opvoeders moeten niet alleen een algemene aanpak hanteren, zoals in het leefgroepreglement opnemen dat deze vorm van agressie niet wordt geduld, prosociaal gedrag aanleren, veel aandacht besteden aan een positief leefklimaat in de groep met beloning van positief gedrag en communicatie over relaties op de agenda zetten; ze moeten ook rekening houden met de voorgeschiedenis, de mogelijkheden en de individuele problematiek van ieder kind uit de groep. In dit verband kan de aanpak van relationele agressie deel uitmaken van een individueel behandelplan, zowel bij daders als bij slachtoffers. Nog meer dan in andere groepen zullen realistische en haalbare doelen moeten worden nagestreefd en zal met kleine stapjes moeten worden gewerkt.

Kan relationele agressie worden voorkomen?

Het uiteindelijke doel van interventieprogramma's, zoals het genoemde Opheliaproject, is om relationele agressie te voorkomen. Ze willen ervoor zorgen dat kinderen bijvoorbeeld niet meer over elkaar roddelen, of elkaar niet meer zwartmaken, chanteren of uitsluiten; dit doen ze door een consistente aanpak die op jonge leeftijd begint. Ze gaan ervan uit dat een wereld zonder relationele agressie mogelijk is.

Op zich is dit een lovenswaardig doel, want relationele agressie is heel schadelijk voor wie er slachtoffer van is, het is onwenselijk gedrag dat diep kan ingrijpen in iemands leven en we kunnen ervan uitgaan – het is nog niet onderzocht – dat de talrijke gevolgen, die soms leiden tot disfunctioneren van kinderen of volwassenen, de maatschappij veel geld kosten. Preventiecampagnes waarin aan een breed publiek wordt uitgelegd wat relationele agressie is, hoe het kan worden herkend en waarom we er moeten tegenin gaan, zijn daarom een must. Dit kan bijvoorbeeld via de media in spots tijdens kinder- en jeugdprogramma's, via folders in scholen en CLB's/schoolbegeleidingsdiensten of via kinder- en jongerensites op het internet. Ook al weten we nog niet wat de effecten van zulke campagnes zijn, niemand kan er iets op tegen hebben dat het probleem onder de aandacht wordt gebracht en dat wordt geprobeerd om overal waar mensen in groepen samen zijn een zo positief mogelijk klimaat te creëren ter bevordering van ieders welzijn.

Maar hoe optimistisch mag je zijn ten aanzien van de kans van slagen van preventiecampagnes die de uitroeiing van relationele agressie tot doel hebben? Is dat realistisch? Zijn roddelen, chanteren en ander relationeel agressief gedrag geen fenomenen van alle tijden, die altijd weer de kop op zullen steken? En hoe erg is dat, als het sporadisch gebeurt? En wat is de zin van zulk gedrag? Heeft het, net als fysieke agressie, misschien een functie in het leven van mensen en in de evolutie? De meeste mensen vinden relationele agressie verwerpelijk en stellen dat het moet worden ingedamd en liefst voorkomen.

Volgens andere onderzoekers (Nishina, 2004) is echter niet elke uiting van relationele agressie per definitie verwerpelijk te noemen en is het onrealistisch om het fenomeen volledig uit de wereld te willen krijgen. Zij zien relationele agressie als een noodzakelijk en onvermijdelijk kwaad, dat optreedt op plekken waar mensen langere tijd in groepen met elkaar samenleven. Het moet wel worden ingedamd, want het kan mensen beschadigen, maar ze stellen dat relationele agressie een nuttige functie heeft in de sociale evolutie. Het biedt rust wanneer er in een groep een zekere hiërarchie aanwezig is en ieder lid een duidelijke rol heeft. En het maakt mensen sterk, zodat ze zich op de buitenwereld kunnen richten en kunnen overleven, bijvoorbeeld in de strijd tegen andere groepen. Mensen kunnen onder deze hiërarchie lijden wanneer ze slachtoffer zijn van pesterijen, maar het groepsbelang overheerst en rechtvaardigt de aanwezigheid van agressie.

Of deze argumenten inzake het evolutionaire nut van (relationele) agressie in groepen nog steeds gelden, is moeilijk te zeggen. Misschien soms en in sommige situaties wel. Maar moeten we dan gaan twijfelen aan de zin van preventie? Zeker niet. Wellicht ligt de waarheid over de mogelijkheden van preventie ergens in het midden. Het is absoluut belangrijk om hier voldoende aandacht aan te besteden. Relationele agressie is een vorm van geweld die misschien *soft* lijkt, maar heel veel kwaad kan aanrichten. Onze preventiepogingen kennen echter grenzen, al zullen ze beter slagen naarmate we meer over het fenomeen en zijn verklaringen te weten komen. Maar of kinderen dan nooit meer relaties zullen manipuleren, is maar de vraag. En misschien hoeft dit ook niet het einddoel te zijn. Als we hen maar tijdig op andere gedachten kunnen brengen en slachtoffers helpen weerbaarder te worden, hebben we al heel wat bereikt.

Kort samengevat

- ✓ Een eerste stap in een efficiënte aanpak van relationele agressie is de onderkenning ervan als een agressievorm die schadelijk is en moet worden ingedamd.
- ✓ Om relationele agressie aan te pakken is groepsinterventie wenselijk. Niet alleen de daders en het slachtoffer moeten betrokken worden, maar ook de andere kinderen. Ze hebben er immers allemaal mee te maken.
- ✓ Hoewel een groepsaanpak wordt geadviseerd, moet er een goede analyse plaatsvinden van elke situatie waarin relationele agressie een rol speelt. Er is namelijk in elk apart geval sprake van een unieke samenloop van risico-, beschermende en in stand houdende factoren.
- ✓ De aanpak van relationele agressie kan beter niet geïsoleerd gebeuren en maakt idealiter deel uit van een totaalaanpak.
- ✓ De interventie moet een zekere tijdsduur hebben en we moeten realistische verwachtingen hebben van de werkzaamheid.

Slotbeschouwing

Wij hopen dat dit boek een bijdrage heeft geleverd om opvoeders, hulpverleners en de publieke opinie te sensibiliseren voor relationele agressie bij kinderen, het beter te begrijpen en handvatten aan te reiken voor preventie en aanpak. Dit boek wil de kennis over relationele agressie vergroten want het (h)erkennen van relationeel agressief gedrag draagt bij tot intolerantie ten aanzien van dergelijk gedrag en leidt op zijn beurt hopelijk ook tot het verminderen van relationele agressie.

Dit boek is het resultaat van de inzichten die uit ons onderzoek zijn gegroeid. Wij hebben getracht om de resultaten op een heldere en voor iedereen toegankelijke manier voor te stellen. Aangezien dit boek, voor zover we weten, het enige Nederlandstalige wetenschappelijk onderbouwd boek is dat uitsluitend gericht is op *relationele* agressie, zullen vele inzichten nieuw zijn voor de lezer. We zetten daarom graag nog enkele belangrijke inzichten op een rijtje.

- We zagen dat relationele agressie niet altijd makkelijk te herkennen is. De dader manipuleert op een subtiele manier relaties. Veelal gebeurt dit stiekem, achter de rug van opvoeders en met het slachtoffer als enige getuige.
- Vaak wordt verkeerdelijk gedacht dat deze vorm van agressie enkel bij meisjes zou voorkomen. Meisjes zijn immers relatiegevoeliger dan jongens. Toch is relationele agressie geen puur vrouwelijke vorm van agressie. We vinden het ook terug bij jongens.
- Sporadisch gebruik van relationele agressie is niet per se problematisch, maar wanneer ouders merken dat hun kind frequent dergelijk gedrag laat zien, kan het zinvol zijn om hulp te zoeken.
- Relationele agressie is het gevolg van een samenspel van aanleg, opvoeding, persoonlijkheid, cultuur, zelfbeeld, relaties met anderen, de omstandigheden, enzovoort.
- Gezien de negatieve gevolgen voor het slachtoffer, de dader en het algemene school- en opvoedingsklimaat, moet relationele agressie

zo vroeg mogelijk aangepakt worden. Deze aanpak mag niet geïsoleerd gebeuren en maakt het best deel uit van een totaalaanpak.

In dit boek vermeldden we verschillende keren dat het onderzoek over relationele agressie nog in zijn kinderschoenen staat. Vele vragen blijven voorlopig onbeantwoord, of de antwoorden die gevonden worden, zijn niet zo eenduidig te interpreteren. Verder praktijkrelevant onderzoek lijkt dan ook aangewezen om het beeld te verdiepen. Een eerste pad dat bewandelt dient te worden, ligt ons inziens in de herkenning van relationele agressie. Het is van groot belang in een vroeg stadium signalen te zien bij kinderen die relationeel agressief gedrag stellen en kinderen die er het slachtoffer van zijn. Daarvoor hebben we goede instrumenten nodig. Sommige instrumenten uit ons onderzoek kunnen hiervoor worden gebruikt. Een tweede 'wens' voor de toekomst is dat we hopen dat relationele agressie zal worden onderkend als een volwaardige vorm van agressie, die evenveel aandacht krijgt als de openlijkere vormen van agressie. Dat de gevolgen serieus worden genomen. Dat gezocht wordt naar een goede aanpak en dat werk wordt gemaakt van preventie. We rekenen erop dat we met dit boek de beleidsmakers gestimuleerd hebben om maatregelen om relationele agressie aan te pakken op te nemen in ruimere programma's die gericht zijn op het stimuleren van gepaste sociale vaardigheden of het reduceren van gedragsproblemen, agressie of pesten binnen een bepaalde omgeving (thuis of op school). Pestgedrag kan alleen op een structurele wijze worden aangepakt en eenmalige activiteiten hebben weinig effect.

Wij hopen dat dit boek velen heeft geïnspireerd om kritisch stil te staan bij deze agressievorm waarvan talloze kinderen het slachtoffer zijn en vaak jarenlang de negatieve gevolgen ondervinden.

Bijlage : opzet van het onderzoek

In deze bijlage willen we de geïnteresseerde lezer meer achtergrondinformatie geven over het grootschalige onderzoek dat werd uitgevoerd aan het Centrum voor Gezins- en Orthopedagogiek van de Katholieke Universiteit Leuven.

Tijdens het onderzoek werden drie verschillende groepen, namelijk een groep achtjarigen, een groep negenjarigen en een groep tienjarigen (= drie verschillende cohorten), gevolgd over een periode van drie jaar. Elk jaar werd er tijdens het tweede en derde trimester van het desbetreffende schooljaar informatie verzameld over ouderlijk handelen, agressief gedrag en probleemgedrag. Zowel de kinderen als hun ouders, leerkrachten en klasgenootjes vulden telkens een reeks vragenlijsten in.

Hoe werden de deelnemende kinderen gekozen?

De steekproef (de deelnemende kinderen) voor dit onderzoek werd getrokken in twee fasen. In de eerste fase selecteerden we een steekproef van 195 scholen uit de vijf Vlaamse provincies en het Brussels Hoofdstedelijk Gewest. Het aantal scholen dat willekeurig getrokken werd per provincie was evenredig aan het aandeel van de provincie in de populatie. De verdeling van de scholen over de provincies in de steekproef weerspiegelde dus de werkelijke verdeling van de scholen over de provincies. In totaal wensten 55 scholen mee te werken aan het onderzoek. De resulterende steekproef van scholen kan representatief worden beschouwd voor de Vlaamse populatie scholen wat betreft de verdeling van de scholen over de provincies en de onderwijsnetten.

In de tweede fase werden er binnen elke school willekeurig achttien leerlingen getrokken uit het tweede, derde en vierde leerjaar (groep vier, vijf en zes in Nederland), gemiddeld zes leerlingen per leerjaar. Voor 600 (van de 913 geselecteerde gezinnen) kinderen ontvingen we van de ouder(s) een schriftelijke bevestiging van deelname aan het onderzoek. Zodoende omvat de totale steekproef 600 kinderen (301 jongens, 299 meisjes), waarvan 190 achtjarigen (92 jongens, 98 meisjes), 203 negenjarigen (103 jongens, 100 meisjes) en 207 tienjarigen (106 jongens, 101 meisjes). In totaal wensten 596 moeders en 567 vaders deel te nemen aan het onderzoek.

Over de drie meetmomenten heen zijn slechts 48 families (8%) uitgevallen. Redenen voor uitval waren drieledig: zeventien kinderen veranderden van school, elf ouders wensten niet meer deel te nemen en één kind heeft het tweede leerjaar (groep vier) gedubbeld. Er werden echter geen verschillen gevonden tussen families die deelnamen en families die uitvielen met betrekking tot sociodemografische variabelen en studievariabelen gemeten tijdens het initiële meetmoment. Tijdens elk meetmoment participeerden tevens gemiddeld 160 leerkrachten en 3000 klasgenootjes.

De resulterende steekproef van kinderen en ouders kan op een aantal kenmerken (etniciteit, gezinssamenstelling, inkomen en opleidingsniveau van vader) representatief worden beschouwd voor de Vlaamse populatie.

Hoe werden de gegevens verzameld?

Na de eerste fase van de steekproeftrekking werden er informatiebrieven verzonden naar de directie van de geselecteerde scholen en werden deze scholen telefonisch benaderd met de vraag of ze wensten deel te nemen aan het onderzoek. Vervolgens werden in de participerende scholen introductiesessies verzorgd, waarin de doelstellingen van het project werden toegelicht en praktische afspraken werden gemaakt (zoals het overhandigen van informatiebrieven aan de ouders en de vragenlijsten voor leerkracht en ouders). Vervolgens verdeelden de leerkrachten de informatiebrieven voor de ouders van de geselecteerde kinderen via de leerlingen. Indien ouders wensten deel te nemen, bezorgden ze een geïnformeerde schriftelijke toestemming terug aan de leerkracht. De ouders van de klasgenootjes ontvingen tevens een brief, waarin de afname van het peernominatie-instrument werd toegelicht. Van deze ouders werd verwacht dat ze het bijgevoegde formulier enkel zouden invullen indien ze expliciet niet wensten dat hun kind deelnam aan de afname in de klas.

De eerste dataverzameling startte in het tweede trimester van 2005, nadat alle toestemmingsformulieren waren verzameld. Van de leerkrachten werd gevraagd om enkel de vragenlijsten in te vullen over de kinderen waarvan de ouders toestemming hadden gegeven. Tevens verdeelde de leerkracht de vragenlijsten voor ouders in gesloten enveloppen via de leerlingen. Tijdens het derde trimester werden de gegevens van de geselecteerde leerlingen en hun klasgenootjes verzameld in samenwerking met thesisstudenten. Het peernominatie-instrument werd afgenomen in de klas en tijdens een tweede moment werden de vragenlijsten door de geselecteerde kinderen ingevuld. Dit gebeurde groepsgewijs voor alle geselecteerde kinderen van een school. De geselecteerde kinderen kregen een kleine beloning (bijvoorbeeld knikkers) na het invullen van de vragenbundel. Het tweede afnamemoment vond plaats in het tweede en derde trimester van 2006. Verschillend met het eerste moment werden de vragenlijsten voor leerkrachten en ouders in gesloten enveloppen per post opgestuurd in het tweede trimester. Het derde afnamemoment vond plaats in het tweede en derde trimester van 2007.

In de zomermaanden volgend op elk dataverzamelingsmoment werd de data-input verzorgd door jobstudenten. Tevens ontvingen de leerkrachten en ouders een algemene schriftelijke feedback over de tussentijdse resultaten. Eveneens konden ze het verloop van het onderzoek volgen via een website.

Wie vulden de vragenlijsten in?

Afhankelijk van welke vragenlijst en welk gedrag die beoogde te meten, vulden de kinderen zelf, hun klasgenootjes, hun mama, hun papa of hun leerkracht de vragenlijst in.

Zowel vanuit wetenschappelijke hoek als vanuit de praktijk wordt het belang van meerdere informanten benadrukt om complexe gedragingen zoals ouderlijk handelen of probleemgedrag zo goed mogelijk in kaart te brengen.

In dit onderzoek werd ook nagegaan in welke mate de perspectieven van de verschillende informanten overeenstemden. Wat betreft het ouderlijk handelen vonden we een hoge overeenstemming tussen moeder en vader, maar een eerder lage overeenstemming tussen kind en ouders. De lage overeenstemming drukt echter niet noodzakelijk uit dat de ene informant gelijk heeft en de andere ongelijk, maar het weerspiegelt waarschijnlijk verschillende perspectieven. Kinderen en ouders kunnen zich bijvoorbeeld andere situaties voor de geest gehaald hebben bij het beantwoorden van de vragen. Wat betreft relationele agressie bleek dat er binnen één context een hoge overeenstemming was tussen de rapportering van informanten, maar dat de overeenstemming over de contexten heen eerder laag tot matig was. Concreet wil dit zeggen dat enerzijds de leerkracht- en klasgenotenrapporteringen (de schoolcontext) en anderzijds de moeder- en vaderrapporteringen (de thuiscontext) een sterke samenhang vertoonden. De lage tot matige overeenstemming tussen de school- en thuiscontext zou kunnen verwijzen naar werkelijke verschillen in agressief gedrag naargelang de situatie. Bijvoorbeeld, ouders hebben hun antwoorden misschien vooral gebaseerd op agressief gedrag ten aanzien van broers/zussen of hechte vrienden, terwijl de rapporteringen van leerkrachten en klasgenootjes het agressieve gedrag in diverse interacties binnen een ruimere sociale groep weergeven.

Welke vragenlijsten werden gebruikt?

Agressie

Om het agressieve gedrag van kinderen in kaart te brengen, werden verschillende instrumenten opgenomen. Meer bepaald wordt informatie verzameld via de ouders (zowel moeder als vader) en leerkracht door middel van de Nederlandstalige versie van *The Children's Social Behavior Scale* (Crick, 1996). Aangezien een Nederlandstalige versie van deze schaal niet beschikbaar was, werd er door middel van een groepsgewijze 'back-translation' een vertaling verworven. Er werd geopteerd voor deze procedure om de equivalentie van de vertaling met de originele schaal te verhogen. Concreet betekent dit dat een groep van drie tweetaligen de originele vragenlijst vertaalde naar het Nederlands. Vervolgens werd deze Nederlandse versie door een andere groep tweetaligen opnieuw vertaald naar het Engels. Deze procedure maakt het mogelijk om de twee Engelstalige versies te vergelijken en te beoordelen op equivalentie. Daarnaast werd de Vragenlijst *Agressie op School* (Grietens & Feys, 2002) door de leerkracht en de Nederlandse versie van het *Peer Nomination Instrument* (Borremans, 2003; Crick & Grotpeter, 1995) door de klasgenootjes ingevuld.

Om agressie te meten binnen vriendschapsrelaties, werd gebruikgemaakt van een Nederlandstalige versie van de *Friendship Qualities Measure* (FQM; Grotpeter & Crick, 1996). Meer bepaald werd hiermee gemeten hoe vaak overte en/of relationele agressie werden gebruikt tussen beste vrienden.

Psychosociaal gedrag

De Nederlandstalige versie van de *Strengths and Difficulties Questionnaire* (Goodman, 1997; Van Widenfelt, Goedhart, Treffers & Goodman, 2003) werd ingevuld door de ouders en leerkracht om de geselecteerde kinderen te screenen voor ernstige emotionele en gedragsproblemen.

Ouderlijk gedrag (algemeen)

Om het ouderlijke gedrag in kaart te brengen, werd de Schaal voor Ouderlijk Gedrag (*Ghent Parental Behavior Scale*, Van Leeuwen, 1999) door ouders en kinderen ingevuld, om gedragscontrole en ouderlijke ondersteuning te maken.

Psychologische controle

De Psychological Control Scale (Barber, 1996), een vragenlijst specifiek ontwikkeld om psychologische controle in kaart te brengen, werd afgenomen van ouders en kinderen. Deze acht-itemschaal is een verfijning van het eerste instrument dat psychologische controle in kaart bracht, namelijk de *Child's Report of Parental Behavior Inventory* (CRPBI) (Schaefer, 1965). Tevens werd de schaal met succes omgezet naar een ouder- en partnerversie. De partnerversie werd eveneens opgenomen, omdat resultaten uit eerder onderzoek suggereren dat een partnerversie mogelijk de meest adequate manier is om psychologische controle te meten (Yang e.a., 2004). Aangezien een Nederlandstalige versie gericht op lagere schoolkinderen niet beschikbaar was, werd tevens een vertaling verkregen via een groepsgewijze back-translationprocedure. Tevens werd de kindversie van de vertaling uitgetest bij een groep acht- en negenjarigen (N = 23), om na te gaan of de vertaling werd begrepen door deze jonge kinderen.

Gehechtheid

De Nederlandstalige versie van de *Security Scale* (Kerns, Klepac & Cole, 1996; Verschueren & Marcoen, 2002) werd opgenomen om na te gaan in welke mate kinderen de gehechtheidsrelatie met hun ouders als veilig percipiëren. Deze vragenlijst werd reeds betrouwbaar bevonden in een steekproef van Vlaamse kinderen (Verschueren & Marcoen, 2002).

Om twee soorten van onveilige hechting, namelijk vermijdende hechting en gepreoccupeerde hechting te meten, werd de *Coping*

Strategies Questionnaire (CSQ; Finnegan & collega's, 1996) afgenomen van de kinderen.

Achtergrondinformatie van de informanten

Achtergrondinformatie van de kinderen (en ouders) en leerkrachten werd bevraagd via een vragenlijst die we zelf ontworpen hebben.

In onderstaande tabel volgt een overzicht van de afgenomen vragenlijsten. We verwijzen, waar mogelijk, naar de originele Engelstalige vragenlijst omwille van de vergelijkbaarheid met andere onderzoeken waarin ook naar Engelstalige vragenlijsten wordt verwezen.

Variabele	Vragenlijst	Informant
Agressie	*Peer Nomination Instrument*	klasgenoten
	Children's Social Behavior Scale – Parent Form	moeder vader
	Children's Social Behavior Scale – Teacher Form	leerkracht
	Friendship Qualities Measure	kind beste vriend
	Agressie op School	leerkracht
Psychologische controle	*Psychological Control Scale*	moeder vader kind
Gehechtheid	*Security Scale*	kind
	Coping Strategies Questionnaire	kind
Psychosociale problemen	*Strengths and Difficulties Questionnaire*	moeder vader leerkracht
Ouderlijk handelen	*Ghent Parental Behavior Scale*	moeder vader kind
Achtergrondinformatie	zelf-ontwikkelde vragenlijsten	ouders leerkracht

Bibliografie en aanbevolen literatuur

Aronson, E. (2008). The social animal (10th ed.). New York: Worth/Freeman.

Barber, B. K. (1996). Parental psychological control: Revisiting a neglected construct. *Child Development, 67,* 3296-3319.

Barter, C., Renold, E., Berridge, D., & Cawson, P. (2004). *Peer violence in children's residential care.* New York: Palgrave MacMillan.

Bowlby, J. (1969). *Attachment and loss: Attachment* (Vol. 1). New York: Basic Books.

Bonica, C., Arnold, D. H., Fisher, P. H., Zeljo, A., & Yershova, K. (2003). Relational aggression, relational victimization, and language development in preschoolers. *Social Development, 12,* 551-562.

Borremans, L. (2003). *Het stellen en ondergaan van agressief gedrag bij meisjes aan het eind van de lagere school.* Ongepubliceerde masterthesis. Leuven: Katholieke Universiteit.

Brok, C., & Zeeuw, M. de (2008). *Er zijn voor je kind. Hoe ouders veiligheid en emotionele beschikbaarheid kunnen bieden.* Assen: Van Gorcum.

Bronfenbrenner, U., & Morris, P. A. (1998).The ecology of developmental processes. In W. Damon (Series Ed.) & R. M. Lerner (Vol. Ed.), *Handbook of child psychology: Vol. 1: Theoretical models of human development* (pp. 993-1028). New York: Wiley.

Card, N. A., Stucky, B. D., Sawalani, G. M., & Little, T. D. (2008). Direct and indirect aggression during childhood and adolescence: A meta-analytic review of gender differences, intercorrelations, and relations to maladjustment. *Child Development, 5,* 1185-1229.

Casas, J. F., Weigel, S. M., Crick, N. R., Ostrov, J. M., Woods, K. E., Jansen Yeh, E. A., & Huddleston-Casas, C. A. (2006). Early parenting and children's relational and physical aggression in the preschool and home context. *Applied Developmental Psychology, 27*, 209-227.

Cowie, H., & Jennifer, D. (2008). *New perspectives on bullying.* Berkshire: Open University Press.

Coyne, S. M. & Archer, J. (2004). Indirect Aggression in the Media: A Content Analysis of British Television Programs. *Aggressive Behavior, 30*, 254-271.

Coyne, S. M., Archer, J., & Eslea, M. (2004). Cruel intentions on television and in real life: Can viewing indirect aggression increase viewers' subsequent indirect aggression? *Journal of Experimental Child Psychology, 88*, 234-253.

Crick, N. R., & Bigbee, M. A. (1998). Relational and overt forms of peer victimization: A multiinformant approach. *Journal of Consulting and Clinical Psychology, 66*, 337-347.

Crick, N. R., Bigbee, M. A., & Howes, C. (1996). Gender differences in children's normative beliefs about aggression: How do I hurt thee? Let me count the ways. *Child Development, 67*, 1003-1014.

Crick, N.R., & Grotpeter, J.K. (1995). Relational aggression, gender, and social-psychological adjustment. *Child Development*, 66, 710-722.

Finnegan, R.A., Hodges, E.V.E., & Perry, D.G. (1996). Preoccupied and avoidant coping during middle childhood. *Child Development, 67*, 1318-1328.

Hopkins, B. (2004). *Just schools.* London: Jessica Kingsley Publishers.

Jeffrey, L. R., Miller, D., & Linn, M. (2001). Middle school bullying as a context for the development of passive observers to the victimization of others. *Journal of Emotional Abuse, 2*, 143-156.

Krahé, B. (2001). *The social psychology of aggression*. Hove: Psychology Press.
Kuppens, S. (2008). *The impact of parenting and classroom variables on childhood relational aggression: A three-wave longitudinal study*. Niet gepubliceerd doctoraatsproefschrift, Centrum voor Gezins- en Orthopedagogiek, K.U.Leuven.
Kuppens, S., Grietens, H., & Onghena, P. (in druk). 'Relationele agressie: Spelen opvoedings- en klasfactoren een rol?' *Caleidoscoop*.
Kuppens, S., Michiels, D., & Grietens, H. (2007). Relationele agressie bij kinderen en jongeren: wetenschappelijke inzichten en praktische implicaties. In R., Vyt, M.A.G., van Aken, J., Bijlstra, P. P. M., Leseman, & B., Maes (Eds.), *Jaarboek voor Ontwikkelingspsychologie, Orthopedagogiek en Kinderpsychiatrie* (pp. 99-119).
Kuppens, S., Michiels, D., & Grietens, H. (2009). 'L'agressivité relationnelle: Nouvelle perspective sur l'étude des agressions en institution spécialisée.' In B. Tillard & A. Rurka (Eds.), *Du placement à la suppléance familiale. Actualité des recherches internationales* (pp. 49-64). Paris: Harmattan.
Michiels, D. (2009). *Building bridges between parental attachment and children's relational aggression. A theoretical analysis and empirical test of concurrent associations in middle childhood.* Niet gepubliceerd doctoraatsproefschrift, Centrum voor Gezins- en Orthopedagogiek, K.U.Leuven.
Michiels, D., Grietens, H., Onghena, P., & Kuppens, S. (2008). Parent-child interactions and relational aggression in peer relationships. *Developmental review: Perspectives in behavior and cognition, 28*(4), 522-540.
Nishina, A. (2004). 'A theoretical review of bullying: Can it be eliminated?' In C.E. Sanders & G.D. Phye (Eds.), *Bullying. Implications for the classroom* (pp. 36-64). San Diego: Elsevier Academic Press.

Ostrov, J.M., Massetti, G.M., Stauffacher, K., Godleski, S.A., Hart, K.C., Karch, K.M., Mullins, A.D., & Ries, E.E. (2009). 'An intervention for relational and physical aggression in early childhood: A preliminary study.' *Early Childhood Research Quarterly, 24*, 15-28.

Safran, D.S., & Safran, E.R. (2008). 'Creative approaches to minimize the traumatic impact of bullying behaviour.' In C.A. Malchiodi (Ed.), *Creative interventions with traumatized children* (pp. 132-166). New York: The Guilford Press.

Schaefer, E.S. (1965). Children's reports of parental behavior: An inventory. *Child Development, 36*, 413-424.

Van Leeuwen, K. (1999). Het meten van opvoeding met de Schaal voor Ouderlijk Gedrag. *Diagnostiek-wijzer, 3*, 151-168.

Van Widenfelt, B.M., Goedhart, A.W., Treffers, P.D.A., & Goodman, R. (2003). Dutch version of the Strengths and Difficulties Questionnaire (SDQ). *European Child and Adolescent Psychiatry, 12*, 281-289.

Verschueren, K., & Marcoen, A. (2002). Perceptions of self and relationship with parents in aggressive and nonaggressive rejected children. *Journal of School Psychology, 40*, 501-522.

Yang, C., Hart, C.H., Nelson, D.A., Porter, C.L., Olsen, S.F., Robinson, C.C., & Jin, S.(2004). Fathering in Beijing, Chinese sample: Associations with boys' and girls' negative emotionality and aggression. In R.D. Day & M.E. Lamb (Eds.), *Conceptualizing and measuring father involvement.* (pp. 185-215). Mahwah, NJ: Erlbaum

Yoon, J., & Kerber, K. (2003). Bullying: Elementary teachers' attitudes and intervention strategies. *Research in Education, 69*, 27-35.

In dezelfde reeks

Peter Adriaenssens
Gids voor succesvol opvoeden
ISBN 978 90 209 7153 8

Ook op het opvoedingsterrein staat de wetenschap niet stil. Deze actuele *Gids voor succesvol opvoeden* houdt de inzichten uit de succesvolle boeken *Opvoeden is een groeiproces* en *Van hieraf mag je gaan* tegen het licht van recent onderzoek en nieuwe wetenswaardigheden. Een uitgebreid en praktisch boek waarop ouders van kleine en grote kinderen, met kleine en grote problemen, op elk moment kunnen terugvallen.

Theo Compernolle & Theo Doreleijers
Zit stil!
ISBN 978 90 209 4454 9

Steeds meer kinderen kampen met ADHD. Een gepaste aanpak thuis en op school is dan ook aangewezen. *Zit stil!* beschrijft op een doeltreffende en plezierige manier hoe je kinderen iets kunt aan- en afleren. Het boek hielp al vele tienduizenden ouders en leerkrachten en wordt door velen beschouwd als de gids bij uitstek om overbeweeglijke kinderen te begeleiden.

Wendy Peerlings
Stresskids
ISBN 978 90 209 7849 0

Heel wat kinderen bezwijken onder de druk van school of hobby's. Prestaties worden niet meer gemeten aan inzet, spitsvondigheid, creativiteit of plezier in het leven, maar aan snelheid, punten en de capaciteit om letterlijk te herhalen. Dit boek helpt je om van je SOS-kind – een kind met zichtbare stress, onderprestaties en spanningsklachten – een relaxed kind te maken, dat zich goed voelt in zijn vel en plezier heeft in het leren.

Peter Prinzie
Waarom doet mijn kind zo moeilijk?
ISBN 978 90 209 7068 5

Alle kinderen doen wel eens moeilijk. Dat weten we uit ervaring. Ze spreken tegen, willen niet naar bed of bedenken allerlei manieren om onder andere verplichtingen uit te kunnen. Het blijven nu eenmaal kinderen. Maar soms maken we ons zorgen: is dit gedrag nog wel normaal te noemen? En wat doe je dan? Het boek van Petra Prinzie is een goede leidraad bij deze problemen.

Karl Baert, Frieda Goorix, Katrijn Van Acker,
Lien Van Driessche
Waar is de grens
ISBN 978 90 209 8306 7

Koppige kleuters, opstandige schoolkinderen, moeilijke tieners... Kinderen gaan allemaal weleens door een lastige periode. Maar wat als het moeilijke gedrag van een kind een dieperliggende oorzaak blijkt te hebben? En waar ligt de grens? Deze praktische gids laat stap voor stap zien hoe je de gedragsproblemen van je kind het beste kunt aanpakken.

Niki Jeannin, Peter Adriaenssens, Els Mertens
Beter omgaan met de emoties van kleuters
ISBN 978 90 209 7619 9

Goed leren omgaan met emoties is van groot belang voor de persoonlijke ontwikkeling van jonge kinderen. Dit boek toont hoe we door goed te kijken naar kinderen en het spel dat ze spelen, veel kunnen afleiden over hun sociaalemotionele welzijn. Met de methode van 'het toverbos', die dierenpoppen en verhalend materiaal gebruikt, worden kleuters weerbaarder, gaan ze zelf op zoek naar oplossingen en winnen ze aan zelfvertrouwen. Voor ouders, kleuterleiders, leerkrachten, schoolpsychologen en andere begeleiders van kinderen.